COLOMBE PLANTE, N.D.

LES **jus**
SANTÉ

POUR VOUS TONIFIER
À L'ANNÉE!

Éditeur : François Doucet
Révision linguistique : Isabelle Ouellet, Lucie Leblanc
Révision : Nancy Coulombe, Suzanne Turcotte, Guylaine Girard
Graphisme : Scanacom
Stylisme culinaire : Linda McKenty
Photos : Sébastien Rougeau

ISBN 978-2-89565-522-0
Première impression : 2007
Dépôt légal : 2007
Bibliothèque et Archives nationales du Québec
Bibliothèque Nationale du Canada

Éditions AdA Inc.
1385, boul. Lionel-Boulet
Varennes, Québec, Canada, J3X 1P7
Téléphone : 450-929-0296
Télécopieur : 450-929-0220
www.ada-inc.com
info@ada-inc.com

Diffusion
Canada :   Éditions AdA Inc.
France :   D.G. Diffusion
           ZI de Bogues
           31750 Escalquens – France
           Téléphone : 05.61.00.09.99
Suisse :   Transat - 23.42.77.40
Belgique : D.G. Diffusion - 05.61.00.09.99

Imprimé en Chine
Participation de la SODEC. ꙅODEC
Nous reconnaissons l'aide financière du gouvernement du Canada
par l'entremise du Programme d'aide au développement de l'industrie de l'édition (PADIÉ)
pour nos activités d'édition.
Gouvernement du Québec - Programme de crédit d'impôt pour l'édition de livres - Gestion SODEC.

Catalogage avant publication de Bibliothèque et Archives Canada
Plante, Colombe, 1946-
      Les jus santé
      ISBN 978-2-89565-522-0
      1. Cuisine (Fruits). 2. Cuisine (Légumes). 3. Jus de fruits
      - Emploi en thérapeutique. 4. Jus de légumes - Emploi en thérapeutique I. Titre.

TX840.J84P52 2007   641.8'75   C2006-942014-9

TABLE DES MATIÈRES

Avis 5
Dédicace 5
Remerciements 6
Introduction 8
Mon cheminement vers la guérison 9
L'assimilation de jus de fruits et de légumes frais 15
Les fines herbes, épices et aromates 16
Apports en nutriments et vertus des végétaux 21
L'extracteur à jus 28
Recommandations importantes pour les fruits et les légumes 29

PARTIE 1 : Les jus qui donnent du pep 31
Les jus qui détoxiquent et régénèrent l'organisme 33
Jus d'herbe de blé 35
Jus d'épinard, persil, céleri et bette à carde 36
Jus de céleri, concombre, radis et citron 39
Jus de brocoli, zucchini, poireau et gingembre 40
Jus de romaine, brocoli et carotte au curcuma 42
Jus d'ananas, raisin vert et canneberge 44
Jus de pomme verte, céleri, gingembre et canneberge 46
Jus de carotte, chou de Bruxelles, épinard et concombre 49
Jus de céleri, concombre, betterave et luzerne 51
Jus de tomate, céleri, chicorée et fenouil 52
Jus de chou, céleri, radis et poivron rouge 55

Les jus reminéralisants 57
Jus de carotte, chou et pomme 58
Jus de concombre, carotte, betterave et lime 60
Jus de chou, carotte, céleri et canneberge 63
Jus de poivron rouge, tomate, romaine et céleri 65
Jus de carotte, panais et pomme 66
Jus de poireau, navet, Butternut, poivron et gingembre 69
Jus de romaine, persil, patate douce et fenouil 71
Jus de chou, carotte et pois mange-tout 73

Les jus de fruits énergisants 75
Jus de mangue, pomme et raisin 77
Jus d'ananas et abricot 78
Jus de canneberge, framboise et pomme 80
Jus de raisin, orange et gingembre 82
Jus de melon 85
Jus de poire, pomme et coriandre 87
Jus de papaye, raisin et poire 88
Jus de kiwi, orange et framboise 91
Jus de pamplemousse et clémentine 92
Jus de mangue, pêche et pomme jaune 95

Les jus qui protègent du cancer 97
Jus de brocoli, bok choy et pomme verte 99
Jus de persil, céleri, laitue et romarin au curcuma 101
Jus d'épinard, oignon vert, brocoli et concombre 102
Jus de lentilles germées, luzerne, céleri et bok choy 105
Jus de chou-fleur, épinard, céleri et fenouil 106
Jus de chou de Bruxelles, céleri, romaine et thym 108
Jus de pomme, céleri et persil 110
Jus de pomme, pamplemousse, mangue et fenouil 113
Jus de raisin, framboise et mûre 115
Jus de poire, pomme et pamplemousse 116

PARTIE 2 : Des jus pour chaque saison 119
Les jus frais du printemps 121
Jus de pousses vertes 123
Jus de lentilles germées 124
Jus de concombre, céleri et basilic 126
Jus de chou vert, persil et zucchini 128
Jus de laitue, épinard et pomme verte 131
Jus de melon miel et raisin vert 133
Menu d'un jour Pleine nature - Printemps 134

Les jus frais de l'été 135
Jus de céleri, concombre, laitue et origan 136
Jus de concombre, radis et basilic 138
Jus de romaine, endive, zucchini et poivron 141
Jus de pois mange-tout, chicorée, concombre et lime 142
Jus d'épinard, céleri et chou-fleur à la muscade 145
Jus de poireau, zucchini, brocoli et poivron 146
Jus de fraise, abricot et raisin 149
Jus de framboise, pêche et poire 151
Jus de bleuet, pomme et abricot 153
Jus de pêche, mangue et fraise 154
Jus de petits fruits des champs 156
Jus de mûre, pomme et poire 159
Jus de poire et coriandre 160
Jus d'abricot, mangue et orange 163
Jus de mûre, framboise et fraise 165
Menu d'un jour Pleine nature - Été 166

Les jus frais de l'automne 167
Jus de Butternut et pomme 169
Jus de carotte, navet et chou 170
Jus de citrouille, pomme et céleri à la cannelle 173
Jus de panais, carotte, zucchini et poireau 174
Jus de patate douce, carotte et céleri 176
Jus de canneberge, chou, céleri et fenouil 178
Jus de betterave, pomme, chou cavalier et gingembre 180
Jus de pomme et canneberge 183
Jus de poire, canneberge et raisin 185
Jus d'orange, canneberge et menthe 186
Jus de poire et kiwi 189
Jus de pomme à la cannelle 190
Menu d'un jour Pleine nature – Automne 192

Les jus frais de l'hiver 193
Jus de patate douce, pousses vertes et céleri 194
Jus de chou de Bruxelles, laitue, zucchini et germinations 196
Jus de radis noir, carotte et Butternut 199
Jus de navet, patate douce et carotte 201
Jus de bette à carde, céleri-rave, panais et céleri 202
Jus de pousses vertes, germinations, concombre et fenouil 205
Jus de mangue, orange et raisin noir 206
Jus de pomme, clémentine et bleuet 209
Jus d'ananas et mangue 210
Jus de poire, pomme et framboise 212
Jus d'ananas 214
Jus d'orange 217
Jus de raisin et kiwi 219
Menu d'un jour Pleine nature - Hiver 220

**PARTIE 3 : D'autres breuvages
pour votre plaisir et votre bien-être** **221**
Tisane au gingembre 222
Tisane à la sauge 223
Tisane au thym 224
Limonade à la menthe 225
Limonade au gingembre, citron et miel 226

INDEX DES RECETTES **227**
De la même auteure aux éditions ADA inc. 235
Les coordonnées de l'auteure 237

AVIS

Le contenu de ce livre ne devrait être considéré qu'à des fins de référence générale. Quel que soit le type d'alimentation choisi, il est toujours judicieux de consulter un médecin et de vous soumettre à un suivi régulier afin de prévenir tout problème de santé. Il est par ailleurs recommandé d'obtenir un bon bilan de santé incluant des tests sanguins avant de changer vos habitudes alimentaires. C'est en utilisant avec discernement les nombreuses ressources qui sont à notre disposition que nous pouvons tendre vers un meilleur équilibre global.

D'autre part, il faut savoir que les besoins nutritionnels varient d'une personne à l'autre selon l'âge, le sexe, l'état de santé et bien d'autres facteurs. Les informations que vous trouverez ici, de même que dans mes autres publications, ne visent en fait qu'à vous éclairer dans vos choix alimentaires.

Attention aux verdures, certains médicaments ne permettent pas la consommation de légumes verts en grande quantité. Renseignez-vous auprès de votre médecin.

DÉDICACE

Cet ouvrage est un très bon complément à *L'alimentation vivante*, mon dernier livre paru.

C'est avec beaucoup d'amour que j'aimerais le dédier à tous ceux et celles qui s'ouvriront à la découverte des jus de fruits et de légumes fraîchement extraits de végétaux crus, un choix tout aussi salutaire pour notre santé globale que pour la survie de notre chère mère la Terre.

Puissiez-vous récolter, avec cette même gratitude qui m'anime, les prodigieux bienfaits des fruits de la terre et cultiver l'amour, le respect et la compassion envers tout ce qui vit.

REMERCIEMENTS

Je voudrais tout d'abord rendre grâce à la puissance divine pour l'extraordinaire privilège qu'elle m'accorde de guider et d'accompagner mes frères et sœurs de la terre dans leur cheminement vers la santé globale, de même qu'à notre chère nourrice la Terre, sans qui nous ne pourrions faire l'expérience de cette vie.

Je tiens tout spécialement à remercier :

♥ ma précieuse maison d'édition et toute l'équipe de AdA à qui je me sens unie comme à une grande famille d'amour.

♥ avec chaleur et gratitude, Nancy Coulombe et François Doucet, des amis sincères que j'apprécie beaucoup. L'amour qui vous habite est une source d'inspiration constante pour moi. Toute mon affection va aussi à vos enfants que j'aime tendrement. Je me sens privilégiée de pouvoir vivre l'expérience heureuse d'avoir quatre petits-enfants, non par les liens du sang, mais par la filiation du cœur et de l'âme. Ces liens sont un merveilleux cadeau de la vie.

♥ Louis Lachance pour ton extraordinaire joie de vivre, ton humour bien coloré, ta sincérité et ta grande simplicité.

♥ ma grande amie Cécile Rolland, pour la joie partagée à travers nos échanges pleins d'authenticité, pour ton dévouement et ton cœur d'enfant.

♥ Réal Payette pour ton appui et ton engagement à faire connaître les bienfaits d'une saine alimentation à travers le monde. Ta confiance, ta détermination constante et ton altruisme me touchent toujours beaucoup.

♥ avec beaucoup d'amour, mes enfants chéris, vos conjoints ainsi que mes trésors de petits-enfants. Merci du fond du cœur de votre compréhension face à mon emploi du temps pour la réalisation de ma mission de vie.

♥ mes bonnes amies Lucie Leblanc et Guylaine Girard pour votre amour partagé pour la santé. J'ai beaucoup apprécié votre aide ainsi que le support de Bruno Boivin dans la correction et la révision de ce livre. Vous m'êtes d'un grand réconfort.

♥ le Dr Richard Béliveau, auquel je rends ici un hommage spécial pour votre expertise en nutrition et toutes les précieuses informations contenues dans votre merveilleux livre « Les aliments contre le cancer ». Pour cet ouvrage, je joins mes connaissances aux vôtres et désire vous transmettre toute ma gratitude pour votre contribution à la création d'un monde rayonnant d'une santé optimale.

♥ mes mentors du plus profond de mon âme et de mon cœur pour tous ces apprentissages alimentaires et spirituels qui m'ont menée vers une nouvelle naissance : Dr Yorgen pour m'avoir enseigné l'alimentation vivante ; Danièle Starenskyj, qui fut la première à m'apprendre que je pouvais vivre sans manger de viande ; Yvan Labelle et Johanne Verdon, naturopathes et enseignants ; Raymond Barbeau, naturopathe et auteur ; Désiré Mérien et Herbert Shelton pour les combinaisons alimentaires ; Carol Vachon, docteur en physiologie médicale ; Dre Kousmine pour la prévention et la guérison des maladies dégénératives ; Lise Larose, naturopathe, pour sa grande détermination à promouvoir la santé et sa générosité à partager ses connaissances dans ce domaine ; Guy Bohémier, enseignant en naturopathie ; Dr Brunet ainsi qu'aux laboratoires Rolmex pour ma formation reçue en phytothérapie et en suppléments alimentaires et à bien d'autres personnes encore…

Je nous souhaite à tous qu'un jour la terre devienne une véritable planète verte où nous ferons rayonner l'amour, la paix et l'harmonie.

INTRODUCTION

C'est en changeant véritablement nos habitudes de vie et en adoptant un régime alimentaire sain que nous pouvons renaître à une meilleure santé.

La qualité des nutriments que nous offrons à notre corps a une grande influence sur notre forme physique et notre bien-être. Une saine alimentation combinée à l'activité physique, au soleil, à l'air pur, à l'équilibre émotionnel et à la vie spirituelle (prière, méditation, etc.), sont à la base d'une hygiène de vie pleine de sagesse qui nous permet d'être en harmonie avec nous-mêmes et tout ce qui *est*.

Il est cependant toujours préférable de changer nos habitudes progressivement, d'être à l'écoute de notre corps et de suivre la vitesse de croisière de notre métabolisme. C'est en y allant en douceur que notre organisme pourra le mieux se détoxiquer et se renforcer. Nous nous sentirons ainsi plus confortable dans notre corps.

La nature a tout prévu pour que nous puissions jouir d'une santé optimale en mettant à notre disposition ces formidables alicaments que sont les végétaux. Notre chère mère la Terre enseigne à tous ceux qui le désirent à travers les lois de la vie. Vivre en harmonie avec ces lois constitue une démarche saine et libératrice pour l'ensemble de notre organisme.

Les jus fraîchement extraits sont certes un des moyens les plus sûrs pour améliorer notre santé. Ce sont de véritables toniques concentrés. Mon expérience m'a vite permis d'observer les nombreux et surprenants effets positifs des jus de fruits et de légumes frais à l'extracteur et ce, tant sur ma propre santé que sur celle de quantité de personnes qui ont adopté l'extracteur pour déguster leurs jus.

MON CHEMINEMENT VERS LA GUÉRISON

Aujourd'hui, à l'aube de mes 60 ans, je suis heureuse, épanouie, active et en excellente santé. Cependant, il n'en fut pas toujours ainsi. Une des étapes de ma vie a été particulièrement difficile. J'ai eu à m'affirmer et à relever des défis importants. C'est avec beaucoup de détermination, de persévérance et de vigilance, en étant à l'écoute de mes besoins et en respectant mon corps, que j'y suis parvenue.

Ces défis m'ont appris à apprécier la vie et à ne rien prendre pour acquis. Ma qualité de vie est essentielle et celle-ci nécessite un juste équilibre entre la spiritualité, la famille et les amis, le travail, l'alimentation saine, l'exercice physique, les loisirs et la détente.

Un retour dans mon enfance

J'ai eu la chance de grandir à la campagne dans une famille aimante et unie de sept enfants. La simplicité, la joie, l'humour et la bonne chère régnaient lors de nos rencontres familiales. Mes bien-aimés et adorables grands-parents, tantes et oncles m'offraient tout leur amour. Mes deux frères cadets me prodiguaient aide, support et amour comme de véritables anges gardiens. Je me sentais aimée par toute ma famille.

L'été était ma saison préférée. Sur les terres paternelles, je cueillais et me régalais de toutes les variétés de petits fruits sauvages. Je prenais plaisir à voir pousser les délicieux légumes et à entretenir les vastes potagers. J'observais le soleil couchant qui me fascinait par la beauté éclatante de ses couleurs. J'étais captivée par les étoiles et la lune. J'essayais de percer les mystères de la nature. Émue devant l'abondance et l'infinie splendeur de cette nature, mes prières d'enfant étaient remplies de gratitude.

Nous possédions des animaux que j'aimais et respectais. Cependant, je trouvais cruel et bouleversant d'entendre leurs cris et de voir mon père, fils de boucher, les abattre. Je m'identifiais à ces animaux et j'avais l'impression que c'était moi qui souffrais et mourais. Mes parents ont donc dû insister, dès mon plus jeune âge, pour que je mange de la viande.

Une ombre au tableau

Vers l'âge de neuf ans, j'en étais venue à prier pour être libérée de la vie. Depuis des années déjà je souffrais en silence. Ayant subi, de personnes extérieures à la famille, plusieurs agressions sexuelles et menacée de mort si j'en parlais, j'enfouissais cette souffrance en moi. C'était un secret trop lourd à porter et je ne pouvais me résigner à parler tant la peur me tenaillait. Rejoindre le soleil, la lune, les étoiles, tout ça me semblait alors la plus belle chose qui pouvait m'arriver. Je voulais que cette « épreuve » sur terre s'achève.

Puis, à l'âge de 11 ans, complètement anéantie, j'ai pris la ferme décision d'affronter la situation. J'ai dépassé ma peur et affirmé puissamment : « C'est assez; je ne me laisserai plus jamais toucher! ». Et ce fut effectivement le cas.

Une succession de problèmes de santé

Cependant, mon cœur et mon corps d'enfant souffraient : feux sauvages, orgelets, démangeaisons, herpès vaginal et anémie étaient les réactions physiques aux différentes agressions que j'avais vécues. Je devais réapprendre à faire confiance à la vie et reconstruire mon estime personnelle.

Puis à l'âge de 14 ans, de nouveaux traumatismes m'ont sérieusement ébranlée. Le mal-être a continué à faire des ravages. Entre 15 et 21 ans, plongée dans un bouleversement émotionnel intense, un médecin m'a prescrit des « valiums » pour le système nerveux. J'ai aussi subi trois opérations reliées aux amygdales, à l'appendice et à l'ovaire gauche.

J'ai pu reprendre un peu de pouvoir sur ma vie grâce à ma foi et à la prière. L'amour et l'affection de mes proches n'étaient pas non plus étrangers à la grande force morale que j'avais acquise et ce soutien m'a vraiment permis de passer à travers les moments les plus difficiles.

Je me suis mariée à l'âge de 19 ans et mon conjoint, qui était très bon pour moi, m'apportait un grand réconfort. Cependant, deux ans plus tard, il était accablé à son tour par la maladie. Puis, nos deux enfants d'amour sont arrivés au cours de la même année. Quelle joie intense pour nous deux! J'avais alors 21 ans et je me devais d'agir pour trouver ma sérénité, ma paix intérieure, pour que mes enfants ne puissent pas ressentir le mal-être qui m'habitait et n'en vivent pas les contrecoups. C'est à ce moment que j'ai entrepris un cheminement personnel. J'ai donc commencé à étudier la naturopathie et la phytothérapie afin de m'en sortir et de contribuer à la guérison de mon cher époux.

À 33 ans, de nouveaux problèmes de santé sont arrivés en même temps : inflammation douloureuse des articulations et arthrite immobilisaient complètement une épaule, hypoglycémie, mauvais cholestérol trop élevé, anémie et constipation chronique. Les médecins que j'avais consultés jusque-là voulaient m'opérer puis me mettre sous traitement à la cortisone. J'ai clairement et sagement refusé. J'avais fait un choix, celui de n'avoir recours qu'aux médecines douces. Ils étaient totalement en désaccord avec ma décision, me « prédisant » la chaise roulante avant mes 40 ans.

Ma reprise en main

J'ai poursuivi mes recherches sur la saine alimentation d'une manière plus intense. J'ai découvert alors que je pouvais vivre sans manger de viande. Je l'ai donc retirée du jour au lendemain de mon régime alimentaire. Quelle joie, quelle libération! J'ai commencé par éliminer les viandes rouges, la charcuterie, le porc, le vinaigre blanc, les sucres et les farines raffinées de mon alimentation. Puis, environ six mois plus tard, j'ai éliminé le poisson et le poulet, les œufs et le lait. Je suis donc devenue assez rapidement végétarienne.

Je me suis également procurée un distillateur d'eau. J'utilisais aussi cette eau pour la cuisson des aliments et j'introduisais progressivement les aliments crus à ma diète. Mais c'est sans contredit mon extracteur à jus qui m'a fait découvrir la puissance des aliments. Ces jus fraîchement extraits m'ont permis d'accéder à mon état de santé actuelle. Ils ont apporté très rapidement les premiers changements importants. Quel cadeau!

Je faisais alors de nombreuses cures de jus de légumes et de jus de fruits, à raison de 2 à 11 jours à la fois et me réservais une journée par semaine à ne boire que du jus pour les 5 premières années de mon rétablissement. Je buvais un grand verre de jus à toutes les 2 heures en alternant les légumes et les fruits et en introduisant toujours une plus grande quantité de légumes que de fruits.

Cependant, je veillais à être bien renseignée afin d'avoir tous les nutriments nécessaires à mon équilibre alimentaire quotidien.

C'était donc l'occasion pour moi de mettre à l'épreuve certaines approches alternatives. J'ai expérimenté le jeûne, l'irrigation du côlon, la chiropractie, l'acupuncture, l'ostéopathie, l'homéopathie, la naturopathie. J'ai suivi les préceptes de toutes sortes d'écoles de pensée (Dre Kousmine, macrobiotique, hygiéniste, combinaisons alimentaires, etc.). Je vivais courageusement une journée à la fois, le plus paisiblement possible. Je prenais le temps de respirer et j'écoutais ce qui se passait à l'intérieur de moi.

Je persévérais même si les gens inquiets autour de moi n'appuyaient pas mes choix. Je trouvais également que ma guérison était longue à venir, allant de rechute en rechute. Puis, tout doucement, les rechutes se sont espacées pour finalement s'estomper.

J'ai poursuivi ma guérison en travaillant dans un magasin de produits naturels pour ensuite ouvrir mon propre magasin. Après l'avoir vendu, j'ai pu me consacrer à donner des cours, des conférences et par la suite à l'écriture.

Il m'a fallu sept années pour me guérir. Encore aujourd'hui, je ne prends toujours rien pour acquis. Tous les jours, je continue à mettre en pratique cette discipline alimentaire et ne cesse de l'améliorer.

Ces expériences enrichissantes m'ont amenée à être une personne autonome, sûre de moi, épanouie, compatissante et ayant une confiance inébranlable en la vie.

J'ai aussi appris à pardonner, à changer mes pensées et mon attitude face à la vie. J'avais des buts et des défis à relever qui m'ont poussée à toujours aller de l'avant. J'avais soif de comprendre et d'apprendre tout ce qui se rapportait à la santé globale et je voulais m'ouvrir à ma puissance intérieure. Je vivais un mal-être depuis ma tendre enfance et j'étais prête à cheminer pour découvrir tous les trésors en moi, pour enfin vivre libérée, dans la joie et l'harmonie. Et j'y suis parvenue! La vie m'a comblée et ne cesse de le faire davantage chaque jour.

Aujourd'hui, je poursuis toujours ma démarche de croissance personnelle et me consacre à ma passion : les médecines douces et l'alimentation santé.

L'importance des jus dans ma guérison

Ce nouveau livre « Les jus santé » est donc tout à fait spécial à mes yeux. Les jus ont marqué le début de la détoxication qui m'a menée à la guérison.

Grâce aux multiples bienfaits de l'action détoxiquante et régénératrice des jus à l'extracteur et des jus d'herbe de blé, j'ai bénéficié d'un nettoyage en profondeur et d'un support tout au long de ma guérison. J'ai vu des miracles se produire : mes inflammations et mes douleurs au niveau des articulations sont disparues ainsi que l'anémie, le cholestérol et l'hypoglycémie. Le changement d'alimentation, combiné aux exercices physiques et aux traitements naturels avaient fait merveille.

Bien qu'aujourd'hui mon alimentation soit davantage vivante (crue), je me concocte encore des jus sur une base quotidienne. J'en ressens toujours rapidement les grands bienfaits.

Il me fait donc vraiment plaisir de partager avec vous mes trucs et mes recettes pour que vous puissiez vous aussi faire l'expérience régénératrice des végétaux frais de la saison.

À votre santé !

INTERPRÉTATION DES CAUSES ÉMOTIONNELLES DE MES MALADIES ET DÉSORDRES PHYSIQUES

Amygdalite
Chez l'enfant : L'enfant refoule ses émotions et ne s'affirme pas. Il se sent dominé, contrôlé. Sa sensibilité l'empêche de s'exprimer. Il veut plaire à tout prix.

Chez l'adulte : L'amygdalite révèle un manque d'estime de soi. C'est un problème d'expression provenant souvent d'un choc émotif. La révolte, la colère restent bloquées dans la gorge.

Anémie
L'anémie témoigne souvent d'un épuisement dû à un changement auquel je m'adapte difficilement. Je ne ressens aucune joie ou intérêt à me créer de nouveaux objectifs. Il me semble que les bases de ma vie sont plus ou moins solides.

Appendicite
Elle est liée à une perte de joie de vivre. Je suis trop sensible et j'éprouve un sentiment de détresse profonde car je ne vois pas comment me sortir d'une difficulté.

Arthrite
L'arthrite est souvent reliée à des souffrances du passé provenant d'un choc émotionnel. Je ne me sens pas aimée et je ne m'aime pas moi-même. Je me critique et je critique les autres.

Cholestérol

J'ai l'impression que je ne mérite pas de m'amuser. Je freine ma joie. Cette absence de joie en moi engourdit la libre circulation de mon énergie sanguine, mon énergie vitale.

Constipation

Je m'accroche à de vieilles idées. J'ai peur, j'hésite. Je manque de confiance en moi. J'ai tendance à subir ma vie plutôt que de la créer en suivant ma bonne étoile.

Je dois faire le bilan de mes possessions. Est-ce que j'ai de la difficulté à me défaire de certains biens matériels? Est-ce que j'en veux toujours davantage? Si oui, je dois apprendre à lâcher prise.

Herpès buccal (feux sauvages)

Ce désordre révèle un manque d'amour et d'estime de soi. Il exprime le refus de me laisser embrasser. Je porte un jugement rigide et sévère sur une ou des personnes du sexe opposé : je généralise.

Herpès génital

Cette affection indique une culpabilité, un conflit intérieur relié à la sexualité qui provient habituellement d'expériences antérieures difficiles. Je n'ai pas à souffrir, à me sentir humiliée ni à avoir honte de mon passé.

Hypoglycémie

L'hypoglycémie survient lorsque je cherche le bonheur à l'extérieur de moi et que je compense en mangeant plus de sucre. Le sucre est pour moi une récompense, une douceur, une caresse. Il représente la joie, l'amour et la tendresse. J'ai des sentiments de haine et de détresse profonde. Je n'ai pas de but. Je manque de motivation.

Ovarite

J'ai de la difficulté à accepter ce qu'on m'a fait subir et je refoule ma colère. Je me sens vulnérable, sans protection. Les ovaires indiquent un manque de sécurité, de confiance et d'amour de soi.

Ces interprétations des causes de maladies et de désordres physiques ont été tirées du livre «Je m'aime en santé» de Colombe Plante, publié aux Éditions AdA inc.

L'ASSIMILATION DE JUS DE FRUITS ET DE LÉGUMES FRAIS

Les jus de fruits et de légumes crus constituent un véritable trésor de vitamines et de minéraux en plus de fournir de précieuses enzymes. Ces nutriments passent rapidement dans le sang car ils ne subissent qu'une légère transformation dans l'appareil digestif. En buvant régulièrement des jus frais, on fait le plein d'énergie. Cela contribue à améliorer la santé, notamment en éloignant les risques d'infection, d'allergies et de paresse intestinale. Pour ceux qui souffrent de constipation, ajouter 15 à 30 ml (1 à 2 c. à s.) de graines de lin moulues deux fois par jour au besoin.

Les jus aident à combattre l'arthrite ainsi que plusieurs désordres de santé physique. Il est recommandé de boire les jus dès qu'ils sont extraits. Cependant, lorsqu'ils sont préparés à l'avance, il faudra empêcher l'oxydation. Vous devrez donc y ajouter le jus frais d'un demi-citron ou d'une demi-lime ou encore un comprimé écrasé de vitamine C ou 2,5 ml ($1/2$ c. à thé) de vitamine C en poudre. Conserver au réfrigérateur dans un contenant hermétique, idéalement un thermos. Le jus se conserve entre 7 et 8 heures, au maximum une journée.

Les jus frais se consomment à jeun, soit environ 20 minutes avant un repas, en les savourant par petites gorgées. Bien « insaliver ».

Vous trouverez dans ce livre plusieurs combinaisons de jus ainsi que leurs vertus thérapeutiques. Vous pouvez, à partir de ce qui se trouve dans votre réfrigérateur ou dans votre potager, improviser vos propres boissons. Tous les fruits et légumes frais ont de merveilleuses propriétés !

Allons découvrir ces précieux trésors de la nature !

LES FINES HERBES, ÉPICES ET AROMATES

Les fines herbes, les épices et les aromates
ont des pouvoirs thérapeutiques. Il est préférable
de les utiliser en petites quantités à la fois.

Les fines herbes

Anis :

Il favorise la digestion et est reconnu pour son aide diurétique et antispasmodique. Il tonifie le cœur, soulage la toux ainsi que les problèmes associés aux poumons. Riche en potassium, il contient également du calcium et du fer. On fait une excellente tisane à partir des feuilles ou des graines et on peut ajouter des graines moulues dans les jus.

Basilic :

Il aide à combattre l'insomnie et les migraines. Il facilite la digestion. Il aurait un pouvoir décongestionnant en cas de rhume, bronchite et sinusite. Il soutient le système immunitaire, tonifie le système nerveux et favorise l'élimination des parasites. Il contient du potassium, du calcium, de la vitamine A, du fer et du magnésium. Il s'utilise aussi bien en tisane que dans les aliments, qu'il soit frais ou séché.

Origan :

Il favorise la digestion et le sommeil, supporte le foie et possède des vertus antiseptiques. Il est riche en calcium, en potassium, en vitamine A et contient un peu de fer. Il se prête bien aux tisanes, aux aliments, aux sauces à salade ou simplement dans les jus de légumes. J'aime bien le mélange origan, basilic et curcuma.

Persil :

En plus de rafraîchir l'haleine, il aurait à la fois une action dépurative, diurétique, vermifuge, stomachique (facilite la digestion gastrique) et apéritive. Il est riche en chlorophylle, en potassium et en vitamine A. Il contient du calcium et du fer. Il est important de choisir un persil ferme et bien vert. Je l'utilise beaucoup à l'extracteur.

Romarin :

C'est un excellent cholagogue (favorise l'écoulement de la bile), en plus d'avoir des propriétés antiseptiques et diurétiques. Il stimule le système immunitaire et la circulation sanguine, il détoxique et aide à prévenir l'arthrite. Il contient du calcium, du potassium, des vitamines A et C ainsi qu'une trace de fer. Il est préférable d'utiliser de petites quantités à la fois parce que son goût est prononcé et ses effets puissants.

Sarriette :

D'un goût savoureux, cette herbe antiseptique favorise aussi la digestion et aide à combattre les flatulences. Je l'utilise avec les légumineuses auxquelles j'ajoute des feuilles de laurier pour aider à éliminer les ballonnements. Elle est aussi excellente dans les sauces à salade. Elle contient du calcium, de la vitamine A, du potassium et un peu de fer.

Sauge :

La sauge est un véritable alicament puisqu'elle réunit à elle seule les propriétés de plusieurs plantes. Elle serait diurétique, antispasmodique, antiseptique et dépurative. Reconnue pour son action tonifiante, elle aide à réduire les bouffées de chaleur de la ménopause. Elle est aussi très utile pour soigner les ulcères de la bouche. Elle contient du calcium, du potassium, du magnésium, de la vitamine A et une trace de fer.

Elle est consommée fraîche ou sèche, de préférence en tisane. J'en ajoute un peu dans mon verre de jus de légumes et j'utilise le reste de la tisane au cours de la journée. Vous n'avez qu'à ébouillanter 5 ml (1 c. à thé) de feuilles sèches ou quelques brindilles fraîches pour 250 ml (1 t.) d'eau et infuser 3 à 5 minutes.

Thym :

Il aide le système immunitaire à combattre la grippe, le rhume et la toux. Il est également utile pour prévenir ou soulager les tensions, la dépression et le surmenage et possèderait des vertus diurétiques et vermifuges. Frais, il contient du calcium, de la vitamine A, du magnésium, du potassium et un peu de fer. Il peut être consommé dans les jus ou en tisane.

Les épices naturelles :

Cannelle :

Vermifuge, antiseptique, digestive, tonifiante et énergétique, elle aide à traiter les nausées et diminue les ballonnements. Elle est excellente en tisane, dans les jus de fruits, les aliments et les desserts.

Cardamome :

Amie du système digestif, la cardamome serait apéritive, favoriserait la digestion et éloignerait les flatulences. Mâcher des graines procure une haleine fraîche. Pour une tisane, faire bouillir les graines environ 5 minutes puis laisser reposer 5 autres minutes. La boire telle quelle ou bien ajouter un peu de cette tisane à des jus de fruits ou de légumes.

Clou de girofle :

Il aurait des propriétés calmantes, antiseptiques, digestives et anti-névralgiques (agit contre la douleur).

Curcuma :

Cette épice diurétique aiderait à la digestion, à la détoxication du foie et de la vésicule biliaire. Elle est utile pour enrayer les crampes menstruelles et la toux, en plus d'être un agent anticancéreux.

Poivre de Cayenne :

Il agit sur l'ensemble du système digestif. C'est un puissant antibactérien naturel, un décongestionnant pour l'organisme. Il favorise la circulation sanguine et le cœur. J'en ajoute dans mes jus de légumes avec un peu de jus de citron ou de lime.

Attention ! Il est à consommer en toutes petites quantités et est contre-indiqué en cas d'hémorragies, d'ulcères et d'hémorroïdes. Référez-vous à votre praticien si vous prenez des médicaments.

Les aromates :

Ail :

L'efficacité de cet antibiotique naturel est connue depuis longtemps. Pour prévenir ou soigner la grippe, la goutte, l'arthrite, la bronchite et l'hypertension. Il favorise la digestion, est diurétique et vermifuge. Vous pouvez en ajouter une petite gousse dans vos jus, en râper sur vos salades ou le consommer en tisane (faire bouillir 5 minutes à feu doux une à deux gousses émincées et reposer 10 minutes.)

Gingembre :

Il aiguise l'appétit, facilite la digestion, soulage les spasmes et les coliques en favorisant la détente de l'intestin. Il est efficace contre les infections gastro-intestinales, soulage les maux de tête et les migraines ainsi que les menstruations douloureuses. Il aide à prévenir l'impuissance sexuelle et stimule la libido. Faire une infusion de 15 ml (1 c. à. s.) de racine fraîche râpée en la faisant bouillir 5 minutes dans 250 ml (1 t) d'eau. Laisser reposer 10 minutes.

Oignon :

Il aurait des bienfaits diurétiques et antibiotiques. Consommer une tasse d'oignon cuit par jour est utile pour favoriser le rétablissement du cœur. Cru, il supporte plutôt les poumons et la respiration. Il agit aussi comme un allié dans le traitement de la grippe, des parasites intestinaux et des calculs biliaires. Étant donné son goût très prononcé, en ajouter seulement un petit morceau dans les jus de légumes. J'utilise l'oignon espagnol et l'oignon rouge pour les recettes crues et l'oignon jaune pour la cuisson.

APPORTS EN NUTRIMENTS ET VERTUS DES VÉGÉTAUX

Les fruits :

Abricot :

> Riche en bêta-carotène et en vitamine C, deux antioxydants, l'abricot aiderait à prévenir l'arthrite, les affections intestinales et respiratoires, le cancer de la peau et des poumons ainsi que toutes les maladies dégénératives. Très efficace pour les voies respiratoires, il est aussi ami du pancréas et du système immunitaire.

Ananas :

> Riche en vitamine C et en broméline (une enzyme aidant à la digestion des protéines), l'ananas contient aussi du manganèse, du magnésium, du potassium et de l'acide folique. Il est reconnu comme diurétique et détoxiquant.

Bleuet :

> Riche en vitamine C, il contient du potassium et des fibres. Il est astringent et antibactérien. Les vertus du bleuet ou des myrtilles en tant qu'aliment anticancéreux sont de plus en plus populaires. Faire des décoctions avec ses racines ou des tisanes avec ses feuilles pour aider le pancréas.

Canneberge :

> Efficace dans le traitement des infections urinaires, la canneberge est un bon apport en vitamines D et C ainsi qu'en potassium. Cette alliée du système digestif possède aussi un pouvoir astringent et est bienfaisant pour la peau. Elle est reconnue de plus en plus comme un remède naturel contre l'hypertension.

Citron :

Très riche en vitamine C, il contient de l'acide folique et du potassium. Il favorise la détoxication par son action antiseptique, diurétique et vermifuge, en plus de posséder des propriétés antirhumatismales. En ajouter aux légumineuses aide à l'assimilation du fer de source végétale.

Fraise :

Une excellente source de vitamine C, de potassium, de magnésium et d'acide folique. Elle serait tonifiante, astringente, dépurative et reminéralisante. Elle est bienfaisante pour la peau. À utiliser en masque sur le visage.

Framboise :

Ce petit fruit procure une bonne source de vitamine C, de magnésium, de potassium et de manganèse. Riche en fibre, la framboise est reconnue comme étant dépurative, stomachique, laxative et diurétique. Les feuilles du framboisier sont utiles pour apaiser les symptômes liés au syndrome prémenstruel. Elle peut être utilisée en tisane.

Lime :

À consommer en alternance avec le citron, même si elle contient un peu moins de vitamine C que ce dernier. Comme le citron, elle apporte aussi du potassium et contiendrait des traces d'acide folique et de fer.

Mangue :

La mangue est un fruit très doux, riche en fibres, en vitamines A et C de même qu'en potassium. Elle est employée pour fortifier le système immunitaire, nourrir la peau ou pour supporter le bon fonctionnement des intestins.

Melon à chair orangée (cantaloup) :

Bonne source de vitamine C, de potassium, d'acide folique, de bêta-carotène, de calcium et de magnésium, le melon est désaltérant, diurétique et apéritif. Il agit aussi comme un doux laxatif.

Melon d'eau (pastèque) :

Riche en vitamine C et en potassium, il est diurétique et détoxiquant.

Nectarine :

La nectarine est une bonne source de vitamines A et C, d'acide folique et de potassium. C'est une alliée du système nerveux. Voir sa petite sœur la pêche pour plus d'information.

Orange :

Bien connue pour sa richesse en vitamine C, en calcium, en potassium, en fibres et en bêta-carotène, l'orange serait diurétique, tonifiante, digestive et légèrement laxative. Elle est aussi utile pour prévenir les infections ou les grippes. Les fleurs d'oranger prises en tisane favorisent la détente et le sommeil.

Pamplemousse :

Il contient de la vitamine C, de l'acide folique et du potassium. Il est reconnu pour son pouvoir antioxydant, antiseptique, apéritif, digestif et diurétique.

Pêche :

Riche en potassium, en vitamines A et C et en acide folique, elle renferme des antioxydants, est stomachique (utile pour les estomacs sensibles ou irrités), diurétique et légèrement laxative. Elle serait même utile pour prévenir le cancer.

Poire :

La poire, riche en fibre, a sensiblement les mêmes propriétés que la pomme et est utile à la régénération globale de l'organisme. Elle contient de la vitamine C, du fer, du magnésium, du phosphore et du potassium. Elle serait diurétique, reminéralisante, stomachique et laxative. Elle favorise aussi le sommeil.

Pomme :

Elle contient des vitamines C et A, du potassium et est riche en fibre et en pectine. Elle aurait de nombreuses propriétés médicinales : diurétique, laxative, décongestionnante et antirhumatismale. Elle favorise une bonne digestion, supporte le travail du foie, aide à maintenir un bon cholestérol et tonifie la musculature. Sa pectine aiderait aussi à lutter contre la cellulite.

Prune :

La prune est une bonne source de vitamine C, de potassium et d'acide folique. Elle est reconnue pour son action fortifiante sur le système immunitaire. Elle aurait un pouvoir laxatif, diurétique et détoxiquant.

Raisin :

Le raisin est une bonne source de potassium. Il contient des vitamines C, E et B6. Il aurait de nombreuses propriétés bénéfiques pour la santé. Il serait antioxydant, diurétique, cholagogue, laxatif, énergisant, détoxiquant et reminéralisant.

Les légumes :

Bette à carde (rouge ou verte) :

Riche en vitamines C et A, en potassium et en magnésium, la bette à carde fournit aussi un apport en phosphore, en fer, en acide folique, en cuivre et en calcium. Elle favoriserait l'élimination des toxines (diurétique et laxative) et aiderait à la reminéralisation.

Betterave :

La betterave contient un véritable trésor de vitamines et minéraux, tels que potassium, vitamines A, C et B6, magnésium, fer, cuivre, acide folique, calcium et zinc. Facile à digérer et aisément assimilable, elle protège contre l'anémie et éloigne la grippe. Elle aiderait aussi à neutraliser les fortes odeurs corporelles.

Brocoli :

Voici un excellent alicament contenant une bonne source de vitamine C, de magnésium, de potassium, de fer et d'acide folique. Considéré comme un aliment anticancéreux, le brocoli est issu de la famille des choux. Il stimule le système nerveux en le tonifiant.

Carotte :

Excellente source de vitamine A et de potassium, la carotte fournit aussi des vitamines C et B6, du magnésium et de l'acide folique. Elle serait diurétique, reminéralisante, antianémique, vermifuge, tonifiante et amie de l'appareil digestif.

Céleri :

Riche en potassium, il contient de l'acide folique ainsi que des vitamines C et B6. Il serait diurétique, dépuratif, stomachique et reminéralisant, en plus d'être tonique pour l'ensemble de l'organisme. Les graines de céleri sont aussi excellentes dans les aliments ou en tisane. Je les avais incluses dans mon traitement contre l'arthrite.

Chou vert :

Très reminéralisant, le chou nous porte secours dans le traitement des ulcères d'estomac. Utiliser à raison de 65 ml (2 onces) de jus de chou vert par jour pris de préférence 20 minutes avant le repas du midi ou du soir. Le chou est riche en vitamine C, en acide folique, en calcium et en potassium. Cet antibiotique naturel très digeste contiendrait des agents anticancéreux et favoriserait la santé de l'estomac.

Chou-fleur :

Faisant partie de la famille des choux, le chou-fleur possède sensiblement la même valeur nutritive que le chou et est aussi considéré comme efficace dans la prévention du cancer. Cependant, il ne remplace pas le chou pour le traitement des ulcères d'estomac.

Concombre :

Il est reconnu comme puissant diurétique, est dépuratif et désaltérant. Il offre une bonne source de vitamine C, de potassium et d'acide folique.

Courge :

Butternut, Buttercup, turban, citrouille, musquée, les courges sont riches en vitamines A et C, en potassium, en acide folique et en cuivre. Elles ont de nombreuses vertus thérapeutiques. Reconnues pour leur digestibilité, elles ont un pouvoir alcalinisant et diurétique, en plus de tonifier l'organisme.

Épinard :

Un cadeau de dame nature riche en acide folique, en potassium, en magnésium, en vitamines A et C, en fer et en chlorophylle. Les épinards sont réputés avoir des propriétés antianémiques et reminéralisantes et offriraient une protection contre le cancer.

Fenouil :

Excellente source de potassium, le fenouil contient du magnésium, de la vitamine C, du calcium et de l'acide folique. Il est connu pour son travail apéritif, vermifuge et antispasmodique. En cas de flatulences ou de douleurs gastriques, il apaisera l'estomac puisqu'il favorise l'ensemble du processus digestif.

Laitue :

Plus sa couleur est foncée, plus elle sera riche en vitamines et minéraux. Elle contient beaucoup d'eau et aide à détoxiquer et reminéraliser l'organisme.

Panais :

Riche en potassium, en acide folique, en calcium, en magnésium et en vitamines C et B, le panais est très recommandé pour les personnes de groupe sanguin A. Il serait reminéralisant, diurétique et détoxiquant. Il est recommandé contre l'arthrite et les rhumatismes.

Persil :

Il contient du fer, des vitamines C et A, du potassium et du phosphore. Il favorise l'élimination par son pouvoir diurétique, dépuratif et vermifuge. Il est excellent pour rafraîchir l'haleine.

Poireau :

Une autre bonne source de potassium, d'acide folique et de fer. Il contient aussi du calcium et du magnésium. Il serait diurétique, tonifiant, légèrement laxatif, antiseptique et détoxiquant. Il aurait aussi des propriétés anti-inflammatoires.

Poivron vert ou de couleur :

Bonne source de vitamines C et A, les poivrons contiennent du potassium et de l'acide folique. La vitamine A est davantage présente dans le poivron rouge ou orange. Tous les poivrons sont diurétiques, antiseptiques, stomachiques et digestifs.

Pomme de terre :

Source de vitamine C, de magnésium, de fer, de cuivre et d'acide folique, la pomme de terre est aussi riche en potassium. Le jus de pomme de terre crue aurait des propriétés antiacides et cicatrisantes. Lorsque je souffrais de brûlements d'estomac, j'en buvais 65 ml (2 onces), 20 minutes avant le repas (le dîner de préférence). J'ai obtenu de très bons résultats par son action calmante et diurétique.

Radis :

Bonne source de potassium et de vitamine C, le radis contient aussi de l'acide folique. Il est utilisé pour favoriser la digestion, pour son action antiseptique ou pour combattre l'arthrite. C'est un excellent ami du foie et de la vésicule biliaire. Il aide à calmer les bronchites, l'asthme et à reminéraliser l'organisme.

Tomate :

Bonne source de vitamine C, de potassium et d'acide folique, la tomate est reconnue pour son pouvoir diurétique, détoxiquant, antioxydant et reminéralisant.

L'EXTRACTEUR À JUS

L'extracteur est un outil merveilleux qui permet d'extraire le jus des fruits, des légumes, des verdures et des germinations. Prenez soin de choisir un extracteur puissant et de bien vous renseigner sur l'oxydation lors de l'extraction. Certains appareils sont un peu plus coûteux mais ils donneront plus de jus (la pulpe sera plus sèche), créeront moins d'oxydation et permettront même d'extraire le jus d'herbes de blé. Ils représentent donc un meilleur achat puisqu'ils permettent d'économiser sur les quantités de végétaux utilisés.

L'extracteur permet de retirer une bonne partie des fibres et d'extraire tout le jus des fruits et des légumes en gardant et en concentrant tous les éléments nutritifs des végétaux pouvant contribuer à une santé optimale. Le jus ainsi extrait offre un véritable cocktail énergisant d'enzymes, de vitamines, de minéraux et de sucre, tous très aisément assimilables par l'organisme. Cette assimilation rapide de leurs éléments nutritifs fait que les jus deviennent de véritables toniques qui peuvent dans certains cas remplacer les suppléments alimentaires. Si vous en êtes à votre première expérience avec les jus, achetez simplement une variété de fruits et légumes que vous aimez. Lorsque vous aurez quelques essais à votre actif, vous pourrez élargir votre choix de végétaux. Couper grossièrement tous les végétaux, y compris les feuilles, avant de les mettre dans votre extracteur.

Voici deux adresses où vous pouvez obtenir de très bons appareils :

Les Éditions Jalinis
Tél. : 514 898-8273 ou 866 525-4647
Site Internet : www.jalinis.com

Petit centre d'art
Tél. : 819 822-2161 ou 800 780-2161
Site Internet : www.pcda.com

Vous trouverez des informations ainsi que certains appareils dans la plupart des magasins de produits naturels.

RECOMMANDATIONS IMPORTANTES POUR LES FRUITS ET LES LÉGUMES

Vous pouvez éliminer les résidus de produits chimiques, les pesticides, la saleté et les bactéries sur les fruits et légumes à l'aide d'un nettoyeur spécialement conçu à cet effet. Vous pouvez également utiliser un savon à vaisselle doux et sans phosphate, de préférence à l'arôme de citron ou de pomme verte pour ne pas laisser d'arrière-goût de parfum. Ces produits sont à utiliser à raison de quelques gouttes dans une eau tiède. Prendre soin de bien rincer.

Dans ce livre, pour alléger le texte, les indications dans la préparation des recettes seront pour des fruits et des légumes non biologiques. Cependant, il est important de favoriser les fruits et les légumes biologiques lorsque c'est possible. Ces derniers n'ont pas besoin d'être pelés.

Choisir des fruits et légumes le plus frais possible, des laitues d'un vert très foncé sans feuilles jaunies. Ainsi vous obtiendrez le maximum de vitamines et minéraux.

Lors d'une extraction, la quantité de jus obtenu peut varier selon la taille et la fraîcheur des végétaux, et selon la quantité d'eau qu'ils contiennent.

Peler les agrumes en conservant le plus possible la membrane blanche car elle est comestible et bienfaisante pour notre santé.

La pomme est le fruit passe-partout à intégrer à un jus de légumes et le céleri est le légume passe-partout à intégrer à un jus de fruits.

Pour apprivoiser certains jus au goût amer, les adoucir en ajoutant la moitié d'une pomme verte, d'un citron ou d'une lime.

Les petits fruits se congèlent très bien. Faites vos provisions pour la saison hivernale.

Allez-y, composez vos propres combinaisons de jus de fruits et de légumes selon vos besoins !

Partie 1

Les jus
qui donnent
du pep

LES JUS
QUI DÉTOXIQUENT
ET RÉGÉNÈRENT
L'ORGANISME

Voici les végétaux les plus souvent utilisés
pour détoxiquer et régénérer l'organisme :

L'herbe de blé favorise la détoxication et la régénération. C'est un tonique polyvalent aux multiples vertus et un fidèle allié de la santé optimale. Puissiez-vous bénéficier de ses bienfaits dans votre vie de tous les jours afin de maximiser votre santé et votre joie de vivre !

Toutes les verdures très foncées peuvent être utilisées en alternance avec l'herbe de blé pour nettoyer l'organisme : chicorée, bette à carde, laitue romaine, scarole, persil, chou frisé (kale), bok choy, épinard, luzerne, brocoli, céleri, concombre, chou, chou de Bruxelles et poireau.

Les légumes suivants sont aussi d'excellents détoxiquants : radis, carotte, chou-fleur, poivron rouge, tomate et betterave.

Les fruits : en plus d'être détoxiquants, sont très régénérateurs et tonifiants pour l'ensemble de l'organisme. Favorisez la pomme verte, l'ananas, les raisins verts ou noirs et la canneberge.

herbe
de blé

Merveilleux Tonique pour se détoxiquer et se régénérer !

INGRÉDIENTS

Un plateau d'environ 18 x 23 cm (7 x 9 po) d'herbe de blé

GARNITURE

Brins d'herbe de blé.

PRÉPARATION

Couper l'herbe de blé et passer dans un extracteur conçu à cet effet.

Boire environ 45 ml (1 1/2 onces), de préférence 20 à 30 minutes avant le déjeuner.

Étant donné le goût assez prononcé de ce jus, vous pouvez le diluer avec la même quantité d'eau.

On peut le remplacer par 1 1/2 cubes d'herbe de blé congelée dans un peu d'eau (vendu dans les magasins d'aliments naturels).
Il est à noter que l'herbe de blé congelée perd 30 % de ses enzymes.

Excellent pour notre santé globale, cet aliment est reconnu comme un puissant agent de prévention du cancer ainsi que de nombreux désordres de santé. Tous les légumes à feuilles très vertes offrent une autre bonne protection. Les verdures sont très détoxiquantes, régénératrices et sont riches en vitamines et minéraux. J'alterne mes jus verts et l'herbe de blé. Le jus d'herbe de blé et d'autres jus frais ont largement contribué à me guérir de l'arthrite, de l'anémie, du cholestérol et de l'hypoglycémie.

épinard, persil, céleri et bette à carde

Plus qu'un supplément et facilement assimilable !

INGRÉDIENTS

500 ml (2 t) d'épinards
250 ml (1 t) de persil
1 branche de céleri
2 feuilles de bette à carde ou quelques feuilles de betterave
$1/2$ citron frais

GARNITURE

Branche de céleri ou quartier de citron

PRÉPARATION

Bien nettoyer les épinards, le persil, le céleri et la bette à carde. Peler le citron. Couper grossièrement et mettre le tout dans l'extracteur. Verser dans un verre et garnir.

Ce jus, en plus de débarrasser l'organisme de ses toxines, est extrêmement riche en vitamines et minéraux. Très reminéralisant, il agira comme protection contre l'anémie et favorisera l'élimination.

céleri, concombre, radis et citron

Un excellent diurétique !

INGRÉDIENTS

1 branche de céleri
$1/2$ concombre anglais
2 radis
$1/3$ de citron

GARNITURE

Tranches de concombre et de radis

PRÉPARATION

Bien nettoyer le céleri et les radis. Peler le concombre et le citron. Couper en morceaux et extraire le jus. Verser dans un verre et garnir.

Vous pouvez aromatiser ce jus avec des herbes (basilic, persil, origan, thym).

Ce jus favorise l'action diurétique et l'écoulement de la bile. Le radis est excellent pour la vésicule biliaire et le foie. Pour soutenir encore davantage le travail du foie, il est bon d'utiliser l'huile d'olive de première pression à froid et le jus de citron dans les salades.

brocoli, zucchini, poireau et gingembre

Un bouquet bien frais qui nettoie l'appareil digestif !

INGRÉDIENTS

1 tige de brocoli avec la fleur
1 zucchini
$1/4$ d'un petit poireau, blanc et feuilles
1 rondelle de racine de gingembre

GARNITURE

Tige de brocoli et tranche de racine de gingembre

PRÉPARATION

Bien nettoyer le brocoli et le poireau. Peler le zucchini et
le gingembre. Couper et extraire le jus. Verser dans un verre et garnir.

Pour alléger le goût, vous pouvez ajouter un peu d'eau, du jus de lime
ou de citron ou encore des herbes de votre choix.

Ce jus favorise le nettoyage du système digestif.
Il est diurétique et légèrement laxatif.

romaine, brocoli et carotte au curcuma

Désaltérant et hautement nutritif !

INGRÉDIENTS

4 à 5 feuilles de laitue romaine ou 2 feuilles de bette à carde
1 tige de brocoli avec la fleur
2 carottes
2,5 ml (1/2 c. à thé) de curcuma

GARNITURE

Tige et feuilles de carotte ou bouquet de persil

PRÉPARATION

Bien nettoyer les feuilles de laitue et le brocoli. Peler les carottes.
Couper les légumes. Mettre le tout dans l'extracteur à jus.
Verser dans un verre, ajouter le curcuma et garnir.

Ce jus antiacide possède d'excellentes vertus thérapeutiques pour la détoxication et la régénération du sang, en plus d'aider à prévenir les infections. Consommer du curcuma régulièrement est une bonne habitude à prendre pour améliorer notre santé globale.

ananas,
raisin vert
et canneberge

Légèrement acidulé et purifiant !

INGRÉDIENTS

¼ d'ananas bien mûr
25 raisins verts environ
125 ml (½ t) de canneberges, fraîches ou congelées

GARNITURE

Brochette de canneberges et feuille d'ananas

PRÉPARATION

Peler l'ananas et le couper en morceaux. Bien nettoyer les raisins
et les canneberges. Mettre tous les fruits dans l'extracteur à jus.
Verser dans un verre et garnir.

*Ce délicieux jus est réconfortant dans la détoxication. Il aidera à dégage
les parois de l'intestin des éléments putrides qui s'y accumulent et à dissoudre
les matières grasses dans l'appareil digestif. Les raisins sont reconnus comme
étant des stimulants pour le foie et les intestins. Les canneberges sont riches en
vitamine C et seront efficaces pour prévenir ou éliminer les infections urinaires,
pour supporter le travail du système digestif et jouer un rôle préventif contre la
formation de calculs rénaux et l'hypertension.*

pomme verte, céleri, gingembre et canneberge

Un succulent élixir - santé !

INGRÉDIENTS

1 pomme verte (Granny Smith)
1 branche de céleri
1 rondelle de racine de gingembre
125 ml (1/2 t) de canneberges, fraîches ou congelées

GARNITURE

Branche de céleri ou quartier de pomme

PRÉPARATION

Peler la pomme et le gingembre. Enlever la fleurette brune
et la queue de la pomme. Nettoyer le céleri et les canneberges.
Couper en morceaux. Mettre tous les ingrédients dans l'extracteur.
Verser dans un verre et garnir.

La pomme verte favorise le nettoyage de l'intestin, est digestive, astringente et aide à décongestionner le foie. Cette combinaison de jus favorise la circulation sanguine et l'élimination des toxines. Sa richesse en vitamines et minéraux en fait un supplément de premier choix pour notre bien-être général.

carotte, chou de Bruxelles, épinard et concombre

Pour protéger votre capital santé !

INGRÉDIENTS

1 carotte
2 à 3 choux de Bruxelles
8 à 10 feuilles d'épinard
$1/2$ concombre anglais

GARNITURE

Carotte avec feuillage et demi-chou de Bruxelles

PRÉPARATION

Peler la carotte et le concombre. Bien nettoyer les choux de Bruxelles et les épinards. Couper en morceaux et mettre dans l'extracteur. Verser dans un verre et garnir.

Pour réduire le côté amer de ce jus, on peut l'aromatiser avec de la lime ou du citron ou simplement ajouter un peu d'eau.

Ce jus est un tonique régénérateur pour l'organisme : le foie, le sang et le pancréas entre autres, en plus de favoriser la détoxication. Le chou de Bruxelles est utile pour prévenir le cancer. Tous les légumes qui présentent un feuillage très vert, de même que le brocoli et le chou-fleur (même s'il est blanc) ne contiennent pas de sucre (interdit dans la diète en cas de cancer) et sont efficaces dans la prévention de plusieurs désordres de santé.

céleri, concombre, betterave et luzerne

Pour un nettoyage et une régénération optimale !

INGRÉDIENTS

1 branche de céleri
½ concombre anglais
1 petite betterave
1 poignée de luzerne ou de persil

GARNITURE

Luzerne

PRÉPARATION

Bien nettoyer le céleri et rincer la luzerne. Peler le concombre et la betterave. Couper les légumes et mettre le tout à l'extracteur. Verser dans un verre et garnir.

En aromatisant ce jus de clou de girofle, de romarin, de gingembre ou d'un soupçon de poivre de Cayenne, le goût en sera rehaussé et les bienfaits pour notre santé en seront augmentés.

Ce jus favorise l'élimination des toxines et tonifie le système organique.
La betterave est excellente pour la prévention de l'anémie. Elle contient
beaucoup de fer, du magnésium ainsi des vitamines A et C.
C'est un bon allié pour combattre la grippe.

tomate, céleri, chicorée et fenouil

Pour un petit coup de fouet !

INGRÉDIENTS

1 à 2 tomates
1 branche de céleri
5 à 6 feuilles de chicorée
65 ml (1/4 t) de fenouil, bulbe et tiges ou persil frais au goût

GARNITURE

Fenouil ou tomates cerises

PRÉPARATION

Bien nettoyer les tomates, le céleri, la chicorée et le fenouil. Couper en quartiers et déposer le tout dans l'extracteur à jus. Verser dans un grand verre et garnir.

Ce jus est un bon antioxydant riche en vitamines C et A, en calcium, fer et zinc. Il soutient le système immunitaire, le foie et favorise la digestion.

chou,
céleri, radis
et poivron rouge

Un Tonique santé et un antiacide Très efficace !

INGRÉDIENTS

500 ml (2 t) de chou
1 à 2 branches de céleri
2 à 3 radis
1 poivron rouge
1 carotte (facultatif)

GARNITURE

Lamelles de poivron rouge

PRÉPARATION

Bien nettoyer les légumes. Couper en morceaux et mettre dans
l'extracteur. Verser dans un verre et garnir. La carotte marie
très bien les saveurs dans ce jus.

Ce jus aide à l'élimination des toxines et stimule le système digestif.
C'est aussi un excellent antiacide. Le radis est riche en eau, en vitamine C
et en potassium. Il soutient le foie et la vésicule biliaire.

LES JUS REMINÉRALISANTS

Voici une liste de végétaux qui font de bons jus riches en minéraux. Vous pouvez les prendre séparément ou en combinaison.

Légumes : Bette à carde, betterave, bok choy, brocoli, carotte, chou rouge ou vert, chou-fleur, courge, navet, panais, patate douce (sucrée), pois mange-tout, poivron rouge ou jaune, poireau

Fruits : Bleuet, canneberge, mûre, orange, pomme, raisin noir ou rouge

Aromate : Gingembre

carotte,
chou
et pomme

*Excellent pour
la production d'anticorps !*

INGRÉDIENTS

2 carottes
250 à 500 ml (1 à 2 t) de chou
1 pomme

GARNITURE

Bâton de cannelle et feuilles de carotte

PRÉPARATION

Peler les carottes et la pomme. Enlever la queue et la fleurette brune de la pomme. Rincer le chou. Couper en morceaux et passer à l'extracteur. Verser dans un verre et garnir.

Excellent pour le système immunitaire, ce jus renforce les anticorps et aide à combattre les infections bactériennes et virales. Le chou est un aliment anticancéreux, riche en vitamine C, en potassium, en magnésium et en acide folique. Il s'agit d'un autre précieux alicament possédant de nombreux pouvoirs de guérison pour l'ensemble de l'organisme.

concombre, carotte, betterave et lime

Un mélange super Tonique !

INGRÉDIENTS

$1/2$ concombre anglais
2 carottes
1 petite betterave
$1/2$ lime ou citron

GARNITURE

Concombre et rondelle de lime

PRÉPARATION

Peler le concombre, les carottes, la betterave et la lime.
Couper grossièrement et passer à l'extracteur à jus.
Verser dans un verre et garnir.

Les deux petites sœurs jumelles, la carotte et la betterave, forment une combinaison gagnante que votre corps entier saura apprécier.

Un tel jus traite de façon naturelle les symptômes du rhume et de la grippe. Il nettoie l'organisme des toxines nuisant à notre vitalité, soutient les efforts du système immunitaire et stimule les fonctions du foie, de l'intestin et des reins. Il constitue un véritable cocktail de minéraux et vitamines.

chou, carotte, céleri et canneberge

Tout un cocktail santé !

INGRÉDIENTS

250 ml (1 t) de chou
2 carottes
1 branche de céleri
125 ml (1/2 t) de canneberges, fraîches ou congelées
1 rondelle de racine de gingembre (facultatif)

GARNITURE

Carotte, céleri, canneberge et feuilles de carotte

PRÉPARATION

Bien nettoyer le chou, le céleri et les canneberges. Peler les carottes. Couper en morceaux et passer tous les ingrédients à l'extracteur à jus. Verser dans un verre et garnir.

Le chou consommé cru possède de nombreuses vertus curatives. On l'apprécie, entre autres, dans la prévention du cancer. Ce jus stimule les fonctions du système immunitaire, l'estomac, les intestins et la vessie. Il favorise de plus une bonne circulation sanguine.

poivron rouge, tomate, romaine et céleri

Une « salade » à assimilation rapide !

INGRÉDIENTS

¹/₂ poivron rouge
1 tomate
3 ou 4 feuilles de laitue romaine
1 branche de céleri

GARNITURE

Poivron rouge ou feuilles de céleri

PRÉPARATION

Bien nettoyer tous les légumes et la tomate. Couper en morceaux, y compris les feuilles. Passer le tout à l'extracteur à jus. Verser dans un verre et garnir.

En cas de digestion difficile ou simplement pour reposer votre système digestif, cette salade liquide fera toute la différence. En plus d'être riche en vitamine C, elle est énergisante, reminéralisante, diurétique et antiseptique.

carotte, panais et pomme

Le panais possède un bon goût de noisette !

INGRÉDIENTS

1 carotte
1 à 2 panais
1 pomme

GARNITURE

Quartier de pomme ou tranche de panais

PRÉPARATION

Peler les légumes et la pomme. Enlever la queue et la fleurette brune de la pomme. Couper en morceaux et passer à l'extracteur.
Verser dans un verre et garnir.

Le panais est un précieux légume à consommer souvent, surtout l'automne et l'hiver. Le panais a une texture semblable au navet mais son goût est plus sucré, encore plus que la carotte. Il est antiacide, diurétique et détoxiquant, en plus de protéger contre l'arthrite. Cette combinaison de jus offre de nombreuses vertus thérapeutiques et fournit un excellent apport en énergie.

poireau, navet, Butternut, poivron et gingembre

Tonifiant et antiacide !

INGRÉDIENTS

85 ml (1/3 t) d'un petit poireau, blanc et feuilles
250 ml (1 t) de navet
1/4 de courge Butternut
1 poivron rouge
1 rondelle de racine de gingembre

GARNITURE

Cubes de courge Butternut

PRÉPARATION

Nettoyer le poireau et le poivron. Peler le navet et le gingembre. Couper la courge, enlever les graines et peler. Couper en morceaux et mettre dans l'extracteur. Verser dans un verre et garnir.

Comme ce jus peut être difficile à prendre, vous pouvez l'allonger avec un peu d'eau.

Ce jus agit comme un véritable anti-inflammatoire naturel. Son action antiacide apaisera les spasmes et les coliques, tout en favorisant la détente de l'intestin. Le gingembre est reconnu pour ses nombreux bienfaits thérapeutiques contre les migraines et les menstruations douloureuses.

romaine, persil, patate douce et fenouil

La patate douce est d'un goût et d'une couleur sublimes !

INGRÉDIENTS

3 feuilles de laitue romaine
250 ml (1 t) de persil
1 patate douce
125 ml (1/2 t) de fenouil, bulbe et tiges

GARNITURE

Bouquet de fenouil

PRÉPARATION

Bien nettoyer la laitue, le persil et le fenouil. Peler la patate douce. Couper en morceaux et passer à l'extracteur. Verser dans un verre et garnir.

En plus de stimuler la vitalité des organes et du sang, ce jus possède une action calmante. Il sera donc utile pour prévenir l'insomnie. La délicieuse patate douce, d'une belle couleur orangée, nous apporte de la vitamine A. Plus son pigment sera prononcé et plus sa teneur en vitamine A sera élevée. Comme les pommes de terre, elle contient du potassium.

chou, carotte et pois mange-tout

Il stimule la digestion... et est drôlement bon !

INGRÉDIENTS

500 ml (2 t) de chou
2 carottes
12 pois mange-tout environ

GARNITURE

Pois mange-tout

PRÉPARATION

Bien nettoyer le chou, les pois mange-tout et peler les carottes.
Couper et passer à l'extracteur. Verser dans un verre et garnir.

Le chou cru est un merveilleux aliment anticancéreux qui présente une bonne richesse en minéraux. Il sera très efficace contre les ulcères d'estomac, en plus de faire office d'antibiotique naturel. Ce jus renforce le système immunitaire, facilite l'assimilation des aliments et aide à soulager les maux de tête souvent reliés au stress et aux troubles de la digestion.

LES JUS DE FRUITS ÉNERGISANTS

*Les fruits sont une excellente source d'énergie naturelle.
Ils nous apportent tout le sucre dont nous avons besoin.
Ils sont colorés, attrayants, irrésistibles au goût
et ont un parfum exquis.*

Les fruits frais : Raisin, pomme, mangue, abricot, pastèque, melon miel, cantaloup, bleuet, framboise, papaye, prune, nectarine, ananas

Les fruits séchés : Datte, pruneau, figue, raisin sec, abricot

Il est préférable de faire tremper les fruits séchés avant de les consommer.

mangue, pomme et raisin

Refaites le plein d'énergie !

INGRÉDIENTS

1 mangue
1 à 2 pommes jaunes ou rouges
25 raisins verts ou rouges environ

GARNITURE

Lamelles de mangue

PRÉPARATION

Peler la mangue et dénoyauter. Peler les pommes, enlever
les queues et les fleurettes brunes. Couper en morceaux.
Bien nettoyer les raisins. Passer à l'extracteur.
Verser dans un verre et garnir.

*Ce jus offre une combinaison riche en vitamine C. La mangue, un fruit doux
et antiacide, regorge de vitamines A et C. La pomme apporte de l'énergie, aide
à décongestionner le foie et joue un rôle dans le contrôle du cholestérol sanguin.
Elle possède des propriétés toniques, digestives et diurétiques. Le raisin est
un autre fruit doux aux nombreux bienfaits. Il est cholagogue (favorise
l'écoulement de la bile), diurétique, laxatif, tonique et reminéralisant.*

ananas
et abricot

De vrais aliments miraculeux !

INGRÉDIENTS

$^1/_3$ d'ananas bien mûr
3 à 4 abricots frais ou 2 pêches

GARNITURE

Abricot

PRÉPARATION

Peler l'ananas et couper en morceaux. Peler les abricots, les couper en deux et dénoyauter. Passer à l'extracteur. Verser dans un verre et garnir.

Ce jus aide à dégager l'intestin des éléments putrides qu'il contient et à dissoudre les matières grasses présentes dans l'appareil digestif. Il prévient et traite la constipation, en plus de protéger contre les affections virales. L'ananas est un antioxydant naturel. L'abricot nous rend service dans la prévention des maladies dégénératives. Il est riche en vitamines A et C.

canneberge, framboise et pomme

Un jus acidulé reconstituant !

INGRÉDIENTS

125 ml (½ t) de canneberges, fraîches ou congelées
250 ml (1 t) de framboises
1 à 2 pommes rouges

GARNITURE

Canneberge et framboise

PRÉPARATION

Nettoyer les canneberges et les framboises. Peler les pommes, enlever les fleurettes brunes et les queues. Couper grossièrement et passer le tout à l'extracteur. Verser dans un verre et garnir.

Ce jus est riche en vitamine C, en potassium et en magnésium, de même qu'en acide citrique. Il sera efficace pour prévenir les infections urinaires et la constipation. Il jouera un rôle préventif contre la formation de calculs rénaux. Il offre également l'avantage de favoriser la circulation sanguine et la digestion, en plus de posséder des vertus astringentes. C'est un tonique et un dépuratif bienfaisant pour notre système organique.

raisin, orange et gingembre

De la vitamine C à déguster !

INGRÉDIENTS

25 raisins environ
1 à 2 oranges
1 rondelle de racine de gingembre
1 pomme (facultatif)

GARNITURE

Petite grappe de raisins et rondelle d'orange

PRÉPARATION

Bien nettoyer les raisins. Peler les oranges et le gingembre.
Couper en morceaux. Mettre tous les ingrédients à l'extracteur.
Verser dans un verre et garnir.

Ce breuvage très énergétique est désaltérant, tonifiant, diurétique, reminéralisant et légèrement laxatif. Il favorisera de plus l'écoulement de la bile. Le gingembre possède des vertus thérapeutiques considérables. Il est antiseptique, diurétique et apéritif. Il nous aide à s'armer contre les rhumes et les douleurs rhumatismales (je m'en faisais des infusions pour aider à enrayer l'arthrite). Aussi très utile contre les maux de gorge et les dérangements d'estomac, en plus de stimuler la libido. À prendre en petites quantités à la fois.

melon

Désaltérant !

INGRÉDIENTS

1 morceau de melon d'eau (pastèque)
$1/4$ de melon miel
$1/4$ de cantaloup

GARNITURE

Brochette de melons

PRÉPARATION

Couper, enlever les graines et peler les melons.
Passer à l'extracteur. Verser dans un verre et garnir.

Il n'est pas nécessaire que les trois melons soient présents dans ce jus. Il sera tout aussi bénéfique avec une variété ou deux.

Il serait sage de faire une place importante aux melons dans notre alimentation pour leurs propriétés rafraîchissantes et curatives. Ils entretiennent le bon fonctionnement des reins, sont très alcalins et faciles à digérer. Ils sont efficaces pour le soulagement des inflammations et concourent à la prévention de plusieurs désordres de santé et de circulation sanguine. Ils constituent un excellent complément tonicardiaque et renforcent les défenses naturelles qui nous protègent des cancers.

poire, pomme et coriandre

Goûtez la différence !

INGRÉDIENTS

1 à 2 poires
2 pommes
1 à 2 branches de coriandre fraîche
ou
une pincée séchée ou en poudre

GARNITURE

Branche de coriandre

PRÉPARATION

Peler les fruits et enlever les queues et les fleurettes brunes.
Bien nettoyer la coriandre. Couper en morceaux et mettre
dans l'extracteur avec les feuilles de coriandre.
Verser dans un verre et garnir.

*Ce jus renferme une quantité de fibres, de vitamine C, de potassium et de fer.
En plus d'être diurétique, il collabore au bon fonctionnement de l'intestin
ainsi qu'à la décongestion du foie et joue un rôle préventif dans la formation
du cholestérol.*

papaye,
raisin
et poire

Offrez-vous cette petite douceur !

INGRÉDIENTS

$1/2$ papaye ou 1 mangue
20 raisins environ
1 à 2 poires

GARNITURE

Quartier de papaye ou de mangue

PRÉPARATION

Peler la papaye et retirer les graines. Bien nettoyer les raisins.
Peler les poires, enlever les fleurettes brunes à la base et les queues.
Couper en morceaux. Passer à l'extracteur à jus.
Verser dans un verre et garnir.

---

*La papaye est un excellent fruit pour notre santé. Elle est riche en fibres,
en vitamine C, en bêta-carotène et possède une action diurétique.
En l'associant avec le raisin et la poire, nous obtenons un jus tonique
qui procurera un supplément d'énergie à l'ensemble de l'organisme.*

kiwi, orange et framboise

Savourez cette fraîcheur !

INGRÉDIENTS

2 kiwis
1 à 2 oranges
250 ml (1 t) de framboises, fraîches ou congelées

GARNITURE

Framboises et tige de menthe

PRÉPARATION

Peler les kiwis et les oranges. Couper en morceaux.
Nettoyer les framboises. Passer le tout à l'extracteur.
Verser dans un verre et garnir.

Ce jus est riche en vitamine C et en broméline (une enzyme qui facilite la digestion). Il contient du fer et de la vitamine C. On lui attribue des propriétés diurétiques, toniques et dépuratives.

pamplemousse
et clémentine

Pour garder la forme !

INGRÉDIENTS

1 pamplemousse
2 à 3 clémentines ou 2 oranges

GARNITURE

Longs zestes de clémentine et de pamplemousse

PRÉPARATION

Peler le pamplemousse et les clémentines. Couper en morceaux.
Passer à l'extracteur à jus. Verser dans un verre et garnir.

*Le pamplemousse contient de la vitamine C, de l'acide folique et du potassium.
Il est tonifiant pour le système digestif, antiseptique et diurétique. La clémentine
possède des vertus thérapeutiques similaires au pamplemousse, sauf qu'elle
apporte de surcroît une bonne source de vitamine A. Ce cocktail d'agrumes
sera très apprécié par notre système immunitaire.*

mangue, pêche et pomme jaune

Riche en bêta-carotène !

INGRÉDIENTS

1 mangue
1 à 2 pêches
1 pomme jaune

GARNITURE

Quartiers de mangue ou pêche ou pomme

PRÉPARATION

Peler la mangue, les pêches et dénoyauter. Peler la pomme, enlever la queue et la fleurette brune. Couper en morceaux et passer à l'extracteur. Verser dans un verre et garnir.

Ce jus est délectable et procure en prime les effets d'un tonique revigorant. Il est riche en vitamines de même qu'en minéraux. C'est une bonne source de potassium et de vitamines A et C. Il favorise l'élimination des toxines par son action diurétique et légèrement laxative. Il nourrit la peau, soutient le système immunitaire et contribue à notre bonne vitalité en général.

LES JUS
QUI PROTÈGENT
DU CANCER

*Manger sainement et avec plaisir des végétaux
tels que les fruits et les légumes frais, biologiques autant que possible,
est le meilleur moyen de prévenir le cancer et bien d'autres maladies
ou désordres de santé.*

Les plantes : Pousses vertes et germination

Les légumes : Chou de Bruxelles, chou frisé (kale), bette à carde, bok choy, brocoli, épinard

Les fruits : Tomate, pomme verte, fraise, framboise, bleuet, mûre, canneberge, abricot, poire, pêche, prune, raisin, pamplemousse, orange, citron, mandarine, tangerine

Les aromates : Ail, oignon, curcuma

Tous ces végétaux contribuent à une santé optimale.

brocoli, bok choy et pomme verte

Un heureux mariage d'alicaments !

INGRÉDIENTS

1 tige de brocoli avec la fleur
2 à 3 feuilles de bok choy
$1/2$ à 1 pomme verte
1 branche de romarin ou de basilic frais ou 5 ml (1 c. à thé) séché

GARNITURE

Feuille de bok choy ou fleur de brocoli

PRÉPARATION

Bien nettoyer les légumes. Peler la pomme, enlever la fleurette brune et la queue. Couper en morceaux. Passer tous les ingrédients à l'extracteur. Verser dans un verre et garnir.

Ce jus joue un rôle important dans la prévention du cancer. Sa richesse en vitamines et minéraux est des plus fortifiantes. Le bok choy est une laitue qui fait partie de la famille des choux. On y trouvera une excellente source de vitamine C, de potassium et d'acide folique.

persil, céleri, laitue et romarin au curcuma

Le persil est reconnu pour rafraîchir l'haleine !

INGRÉDIENTS

250 ml (1 t) de persil
1 à 2 branches de céleri
2 à 3 feuilles de laitue (romaine, chicorée ou scarole)
1 branche de romarin frais ou 5 ml (1 c. à thé) séché
Curcuma au goût

GARNITURE

Bouquet de persil

PRÉPARATION

Bien nettoyer tous les légumes et le romarin. Passer à l'extracteur.
Verser dans un verre, saupoudrer de curcuma et garnir.

Le pouvoir thérapeutique du persil est apéritif, dépuratif, vermifuge, diurétique et soutient le travail digestif. Il est riche en chlorophylle, en potassium, en vitamine A. Il contient du calcium et du fer. Il fait des merveilles pour l'haleine !

épinard, oignon vert, brocoli et concombre

Aromatisé au romarin, c'est divin !

INGRÉDIENTS

500 ml (2 t) d'épinards
1/2 petit oignon vert avec la queue
1 tige de brocoli avec la fleur
1/3 de concombre anglais
1 branche de romarin frais ou 5 ml (1 c. à thé) séché

GARNITURE

Oignon vert

PRÉPARATION

Bien nettoyer tous les légumes et le romarin. Couper et passer à l'extracteur. Verser dans un verre et garnir.

Ce jus peut être difficile à boire, par contre ses vertus sont divinement tonifiantes pour le corps. Vous pouvez y ajouter de l'eau et du jus de citron frais.

Voici un cocktail de légumes reminéralisant et antianémique, excellent pour combattre les infections comme pour prémunir contre le cancer. Il renferme une importante richesse de vitamines et minéraux.

lentilles germées, luzerne, céleri et bok choy

Un véritable champion !

INGRÉDIENTS

250 ml (1 t) de lentilles germées
250 ml (1 t) de luzerne
1 à 2 branches de céleri
2 à 3 feuilles de bok choy
$1/4$ de citron frais

GARNITURE

Lentilles et luzerne germées

PRÉPARATION

Rincer les lentilles et la luzerne. Bien nettoyer le céleri et les feuilles de bok choy. Peler le citron. Passer le tout à l'extracteur. Verser dans un verre et garnir.

Vous pouvez remplacer les lentilles germées ou la luzerne par des pousses vertes au choix telles que sarrasin, tournesol ou pois verts. Un vrai trésor pour notre santé !

Les lentilles germées nous offrent une multitude de vitamines et de minéraux. Lorsque germées, elles augmentent leurs enzymes et triplent leurs nutriments. Les céréales, les graines et les légumineuses germées portent en eux la quintessence même de la vie. Ce sont de véritables « concentrés » d'énergie de hautes vibrations qui font des miracles pour notre santé.

chou-fleur, épinard, céleri et fenouil

Un puissant tonique !

INGRÉDIENTS

250 ml (1 t) de chou-fleur
500 ml (2 t) d'épinards
1 branche de céleri
85 ml (¹/₃ t) de fenouil frais, bulbe et tiges

GARNITURE

Brindilles de fenouil ou morceau de chou-fleur

PRÉPARATION

Bien nettoyer tous les légumes. Couper et passer le tout à l'extracteur. Verser dans un verre et garnir.

Excellent apéritif, le fenouil est doux pour l'estomac. Il aide à combattre les flatulences, est antispasmodique et vermifuge. Il renferme de la vitamine C, du calcium, du phosphore et beaucoup de potassium. Ce jus rafraîchissant est une autre formule tonique qui tient du miracle de la nature.

chou de Bruxelles, céleri, romaine et thym

Essayez une pomme verte dans ce jus, c'est savoureux !

INGRÉDIENTS

4 choux de Bruxelles
1 branche de céleri
2 à 3 feuilles de laitue romaine
1 branche de thym frais ou 5 ml (1 c. à thé) séché

GARNITURE

Thym frais ou demi-chou de Bruxelles

PRÉPARATION

Bien nettoyer tous les légumes et le thym. Couper et mettre tous les ingrédients à l'extracteur. Verser dans un verre et garnir.

Le thym peut être remplacé par la poudre de curcuma et un soupçon de poivre noir.

Ce jus, en plus d'éloigner les risques de cancer, s'avère une bonne source de vitamines et minéraux. Il contient entre autres de la vitamine C, de l'acide folique, du potassium, du magnésium et des vitamines A et B6. On lui prête des vertus diurétiques, dépuratives, stomachiques et reminéralisantes. C'est un tonique pour l'ensemble de l'organisme.

pomme, céleri et persil

Quand simplicité rime avec efficacité !

INGRÉDIENTS

2 pommes
1 branche de céleri
125 ml ($^1/_2$ t) de persil

GARNITURE

Branches de céleri et de persil

PRÉPARATION

Peler les pommes, enlever les queues et les fleurettes brunes.
Bien nettoyer le céleri et le persil. Couper en morceaux et
passer à l'extracteur. Verser dans un verre et garnir.

*Énergisant, antiacide, diurétique et vermifuge, il favorise la digestion,
fait office de tonique musculaire et joue un rôle dans le maintien
du bon cholestérol. Excellent pour avoir une haleine fraîche.
C'est un trio idéal pour stimuler votre vitalité.*

pomme, pamplemousse, mangue et fenouil

Un régal... et si bon pour la santé !

INGRÉDIENTS

1 pomme
$1/2$ pamplemousse
1 mangue
85 ml ($1/3$ t) de fenouil frais, bulbe et tiges

GARNITURE

Brindilles de fenouil ou quartiers de fruits

PRÉPARATION

Peler la pomme et le pamplemousse. Enlever la fleurette brune et la queue de la pomme. Peler la mangue et dénoyauter. Nettoyer le fenouil. Couper en morceaux. Passer tous les ingrédients à l'extracteur. Verser dans un verre et garnir.

Ce délectable jus de fruits possèderait de nombreuses vertus thérapeutiques. On dit qu'il facilite le travail du foie, qu'il est énergétique, anticancéreux, diurétique, antiseptique, antioxydant, digestif, laxatif et décongestionnant. Il est riche en potassium, en vitamines C et A, de même qu'en acide folique.

raisin, framboise et mûre

Un petit velours pour les papilles !

INGRÉDIENTS

25 raisins environ
250 ml (1 t) de framboises
250 ml (1 t) de mûres

GARNITURE

Framboises

PRÉPARATION

Bien nettoyer les raisins. Rincer les framboises et les mûres.
Passer le tout à l'extracteur. Verser dans un verre et garnir.

La mûre, ce délicieux petit fruit des champs, est une bonne source
de vitamine C, de potassium et de magnésium. On la reconnaît pour
ses bienfaits laxatifs, dépuratifs et astringents. Elle offre en plus l'avantage
de protéger contre le cancer. Ce mélange de jus possède de nombreuses
propriétés médicinales.

poire,
pomme et
pamplemousse

Un super jus !

INGRÉDIENTS

1 à 2 poires
1 pomme
$1/2$ pamplemousse

GARNITURE

Quartier de pamplemousse ou de poire

PRÉPARATION

Peler les poires et la pomme. Enlever les queues et les fleurettes brunes. Peler le pamplemousse. Couper en morceaux et passer tous les ingrédients à l'extracteur. Verser dans un verre et garnir.

Ce jus frais et savoureux est apprécié tout au long de l'année. Riche en vitamines et minéraux, notamment en vitamine C, acide folique, potassium et fer, il favorise une meilleure digestion. Il est diurétique, laxatif (riche en fibres) et antioxydant. Ce mélange offre une bonne combinaison de fruits anticancéreux.

Partie 2

Des jus
pour
chaque saison

LES JUS FRAIS
DU PRINTEMPS

Le printemps est la saison idéale pour le nettoyage.
Le printemps, lorsque tout reverdit, nous privilégions les légumes verts.

En plus des pages qui suivent, vous pouvez vous référer à la section intitulée « Les jus qui détoxiquent et régénèrent l'organisme » pour une plus grande variété de jus qui favoriseront votre grand nettoyage du printemps.

Le jus d'herbe de blé sera aussi inclus dans les jus printaniers.

Les fruits frais sont disponibles dès le milieu du printemps jusqu'à la fin de la saison d'automne.

Les légumes de saison :

Le blé : Herbe de blé

Les germinations : Lentille et haricot mungo

Les graines germées : Trèfle, brocoli, radis, luzerne

Les laitues : Bok choy, romaine, chicorée, bette à carde rouge ou verte, scarole

Les légumes : Asperge, chou rouge ou vert, chou de Bruxelles, persil, poireau, brocoli, épinard, radis, betterave, céleri, concombre, tête de violon

Les pousses vertes : Sarrasin, tournesol, pois verts

Les feuilles de pissenlit cueillies dans les champs au printemps peuvent agrémenter vos salades. S'assurer que l'endroit est exempt de produits chimiques et éviter celles trouvées en bordure des routes. Si vous n'avez pas la chance de cueillir des feuilles de pissenlit, la chicorée du super marché est une alternative de choix.

Les fruits de saison :

Les fruits : Pomme verte, lime, citron, melon miel, raisin vert, kiwi, poire Anjou

pousses vertes

De vrais aliments miraculeux !

INGRÉDIENTS

250 ml (1 t) de pousses de tournesol
250 ml (1 t) de pousses de sarrasin
250 ml (1 t) de pousses de pois verts
1 à 2 branches de céleri
1/2 lime ou citron

GARNITURE

Pousses vertes de sarrasin ou autres

PRÉPARATION

Rincer les pousses. Nettoyer le céleri. Peler la lime. Couper et passer le tout à l'extracteur. Verser dans un verre et garnir.

Au lieu de trois sortes de pousses vous pouvez utiliser une sorte seulement à la fois, soit 750 ml (3 t).

Nettoyez votre corps et jouissez d'une vitalité optimale grâce aux « super-aliments » riches en enzymes, en oligo-éléments et en vitamines. Lorsque le climat ne nous permet pas de jardiner en pleine nature, les pousses vertes et les germinations viennent à notre rescousse en nous apportant fraîcheur et vitalité. On peut même en faire un jardin tout frais directement dans notre cuisine. Un vrai miracle pour notre santé !

lentilles germées

Super germinations !

INGRÉDIENTS

125 ml (1/2 t) de lentilles germées ou de haricots mungo germés
3 à 4 feuilles de laitue (romaine, bok choy ou bette à carde)
1 branche de céleri
2 radis
1 tomate
1/2 citron

GARNITURE

Lentilles germées et morceau de citron

PRÉPARATION

Rincer les lentilles. Nettoyer les feuilles de laitue, le céleri, les radis et la tomate. Peler le citron. Passer le tout à l'extracteur. Verser dans un verre et garnir.

Pour adoucir, ajouter le jus d'un demi-citron ou d'une orange ou encore ajouter une moitié de poivron rouge au moment de l'extraction.

Les lentilles germées sont une bonne source de protéines végétales facilement assimilables. Pour mieux absorber le fer dans les lentilles, il faut les consommer avec de la vitamine C, que nous trouvons dans le citron, les légumes verts (le brocoli surtout) ou les tomates. Ce jus nettoie le foie, est diurétique et très reminéralisant.

concombre, céleri et basilic

Diurétique et désaltérant!

INGRÉDIENTS

$1/2$ concombre anglais
1 à 2 branches de céleri
1 branche de basilic frais ou 5 ml (1 c. à thé) séché

GARNITURE

Morceau de concombre et feuilles de basilic

PRÉPARATION

Peler le concombre. Nettoyer le céleri et rincer le basilic frais.
Couper et passer le tout à l'extracteur. Verser dans un verre et garnir.

Ce jus est super-nettoyant et diurétique. Il est riche en potassium, en calcium, en acide folique et en vitamine C. Facile à digérer, ses nutriments sont encore plus rapidement absorbés s'il est pris lorsque l'estomac est vide. L'idéal est de le consommer 20 à 30 minutes avant un repas.

chou vert, persil et zucchini

Antiacide !

INGRÉDIENTS

500 ml (2 t) de chou vert
250 ml (1 t) de persil frais
1 zucchini

GARNITURE

Branche de persil et rondelle de lime

PRÉPARATION

Rincer le chou et le persil. Peler le zucchini. Couper en morceaux et passer à l'extracteur. Verser dans un verre et garnir.

Très reminéralisant, le chou nous apporte du soutien dans le traitement des ulcères d'estomac. Prendre 65 ml (2 onces) de jus de chou vert par jour pris de préférence 20 minutes avant le repas du midi ou du soir. Le chou est riche en vitamine C, en acide folique, en calcium et en potassium. Cet antibiotique naturel très digestible contiendrait des agents anticancéreux et favoriserait la santé de l'estomac.

laitue, épinard et pomme verte

Une véritable mine d'or pour notre santé !

INGRÉDIENTS

5 à 6 feuilles de laitue romaine
4 à 5 feuilles de chicorée ou 2 feuilles de bette à carde
250 ml (1 t) d'épinards
1 à 2 pommes vertes (Granny Smith)

GARNITURE

Feuille de laitue et quartier de pomme verte

PRÉPARATION

Bien rincer les feuilles de laitue romaine, de chicorée et les épinards. Peler les pommes, enlever les queues et les fleurettes brunes. Couper en morceaux. Passer tous les ingrédients à l'extracteur. Verser dans un verre et garnir.

La laitue favorise la détoxication et minéralise l'organisme. En l'associant aux épinards et à la pomme verte, nous obtenons un très bon tonique du printemps.

melon miel
et raisin vert

Un délicieux petit écart aux combinaisons alimentaires !

INGRÉDIENTS

$1/2$ melon miel
25 raisins verts environ

GARNITURE

Brochette de melon et raisin vert

PRÉPARATION

Peler le melon et retirer les pépins. Bien nettoyer les raisins.
Passer le tout à l'extracteur. Verser dans un verre et garnir.

Le melon se digère mieux seul, mais nous ferons ici un petit écart aux combinaisons alimentaires en le mélangeant aux raisins pour obtenir un jus à saveur exquise et profiter de ses nombreux bienfaits. Le raisin aide à la digestion en favorisant l'écoulement de la bile et en supportant le travail du foie. On le dit diurétique, cholagogue, détoxiquant, antioxydant et minéralisant.

Pour reposer le système digestif et favoriser la détoxication

7 h 30   Durant les 15 premières minutes, boire un verre d'eau chaude
Prendre 15 ml (1 c. à s.) d'huile d'olive

8 h   185 à 250 ml (6 à 8 onces) de jus vert (pousses vertes,
laitue, céleri, concombre, etc.)
ou
65 ml (2 onces) de jus d'herbe de blé (p. 35)

9 h   Un jus de pomme verte, céleri, gingembre et canneberge (p. 46)

10 h 30 Un jus de concombre, céleri et basilic (p. 126)

12 h   Un jus de brocoli, zucchini, poireau et gingembre (p. 40)

14 h   Un jus de chou, céleri, radis et poivron rouge (p. 55)

16 h   Un jus de carotte, chou de Bruxelles, épinard et concombre (p. 49)

18 h   Un jus de chou vert, persil et zucchini (p. 128)

20 h   Un jus de melon miel et raisin vert (p. 133)

Entre les jus, boire de l'eau en alternant avec des tisanes.

Le mois d'avril demeure toujours le meilleur moment pour procéder au grand nettoyage de notre corps particulièrement en ce qui concerne la vésicule biliaire et le foie.

LES JUS FRAIS
DE L'ÉTÉ

C'est le moment de profiter du soleil d'été afin d'accumuler de la vitamine D pour les prochaines saisons. De plus, nos jardins nous offrent une abondance de vitamines et minéraux provenant de végétaux d'une fraîcheur inégalée qui feront le plus grand bonheur de notre corps.

Profitons donc de cette merveilleuse saison chaude pour nous alimenter plus légèrement en augmentant notre consommation de légumes et de fruits crus grâce aux jus frais. Désaltérants et très nutritifs, ils fortifieront notre système immunitaire qui sera plus en mesure d'accueillir les saisons plus froides.

Les légumes de saison :

Les laitues : Bette à carde, bok choy, Boston, chicorée, chinoise, chou laitue, endive, épinard, scarole, frisée, pommée, raddichio, romaine

Les autres légumes : Aubergine, brocoli, céleri, chou-fleur, concombre, gourgane, maïs, pois mange-tout, oignon vert, poireau, pois vert, poivron, pomme de terre, rabiole, radis, zucchini

En cette saison, profitons aussi des herbes fraîches telles que l'anis, le basilic, la marjolaine, l'origan, le persil, le romarin et le thym.

Les fruits de saison :

Les fruits : Abricot, bleuet, cantaloup, cerise de terre, fraise, framboise, mangue, melon d'eau (pastèque), melon miel, nectarine, pêche, poire, pomme blanche d'été, raisin, tomate

La saison estivale débute avec nos délicieuses fraises suivies des framboises, des bleuets et des pommes. Profitons de cette manne et prenons plaisir à les cueillir pour faire des réserves !

Les fruits frais des champs se congèlent bien et se conserveront jusqu'au printemps. Bien que leur fraîcheur et la qualité de leurs enzymes seront diminuées, cela nous permettra de varier nos fruits pour les saisons suivantes alors que ces derniers manquent de fraîcheur et que les variétés offertes sont plus restreintes.

céleri, concombre, laitue et origan

Un torrent de vitamines et de minéraux!

INGRÉDIENTS

1 branche de céleri
1/2 concombre anglais
3 feuilles de laitue au choix
1 branche d'origan frais ou 5 ml (1 c. à thé) séché

GARNITURE

Branche de céleri ou concombre

PRÉPARATION

Nettoyer le céleri, la laitue et l'origan. Peler le concombre. Couper en morceaux. Passer le tout à l'extracteur. Verser dans un verre et garnir.

La valeur thérapeutique de ce jus réside dans son effet purifiant pour l'ensemble du corps et dans sa capacité à nous protéger des infections en soutenant le système immunitaire.

concombre, radis et basilic

Ah ! La fraîcheur de l'été !

INGRÉDIENTS

$^1/_2$ concombre anglais
2 à 3 radis
1 branche de basilic frais ou 5 ml (1 c. à thé) séché

GARNITURE

Tranche de radis

PRÉPARATION

Peler le concombre. Bien nettoyer les radis et le basilic. Couper et passer le tout à l'extracteur à jus. Verser dans un verre et garnir.

Ce jus supporte le travail du système digestif. Le concombre est un excellent diurétique. Il est dépuratif et désaltérant. Il offre une bonne source de vitamine C, de potassium et d'acide folique. Le radis est l'ami du foie et de la vésicule biliaire. Il aide à calmer les bronchites et l'asthme. Il reminéralise l'organisme.

romaine, endive, zucchini et poivron

Apprécions l'abondance de notre jardin d'été !

INGRÉDIENTS

3 à 4 feuilles de laitue romaine
1 endive
2 à 3 petits zucchinis
$1/2$ poivron jaune ou orangé

GARNITURE

Poivron jaune et rondelle de zucchini

PRÉPARATION

Bien nettoyer la laitue, l'endive et le poivron. Peler les zucchinis. Couper tous les légumes et passer à l'extracteur. Verser dans un verre et garnir.

Ce jus facile à digérer est tonique et reminéralisant. Il agit sur l'estomac et les intestins comme un antiacide, en plus de fournir une excellente protection contre les infections bactériennes et virales.

pois mange-tout, chicorée, concombre et lime

Un jus Désaltérant !

INGRÉDIENTS

12 à 15 pois mange-tout
3 à 4 feuilles de chicorée
$1/3$ de concombre anglais
$1/2$ lime

GARNITURE

Feuille de chicorée et rondelle de lime

PRÉPARATION

Bien nettoyer les pois mange-tout et la chicorée. Peler le concombre et la lime. Couper et passer à l'extracteur. Verser dans un verre et garnir.

Les pois mange-tout appartiennent à la famille des pois. En plus d'être sucrés et succulents, ils sont riches en vitamine C, en acide folique et en potassium. Ils renferment aussi du fer, du zinc et du magnésium. Ce jus rafraîchissant possède de nombreuses vertus thérapeutiques. Il est détoxiquant, diurétique et reminéralisant pour l'ensemble de l'organisme.

épinard, céleri et chou-fleur à la muscade

Ajoutez-y un peu de piquant!

INGRÉDIENTS

500 ml (2 t) d'épinards
1 branche de céleri
250 ml (1 t) de chou-fleur
Une pincée de muscade

GARNITURE

Fleurette de chou-fleur et muscade

PRÉPARATION

Bien nettoyer tous les légumes, les couper et passer à l'extracteur. Verser dans un verre, saupoudrer de muscade et garnir.

Si vous avez de la difficulté à boire un jus de légumes au goût amer, vous pouvez l'allonger avec un peu d'eau, une carotte ou les deux.

Ce jus riche en fer et en chlorophylle a des propriétés minéralisantes et antianémiques. On en fera également son allié dans la prévention du cancer.

poireau, zucchini, brocoli et poivron

Un bouquet de fraîcheur naturelle !

85 ml (1/3 t) de poireau, blanc et feuilles
1 zucchini
1 tige de brocoli avec la fleur
1 poivron jaune
1 tomate jaune ou rouge (facultatif)

GARNITURE

Poireau

PRÉPARATION

Bien nettoyer le poireau, le brocoli et le poivron. Peler le zucchini. Couper et mettre tous les ingrédients à l'extracteur. Verser dans un verre et garnir.

Le poireau est une bonne source de potassium, d'acide folique et de fer. Il contient aussi du calcium et du magnésium. Il favorise l'élimination (diurétique), est légèrement laxatif, tonifiant, antiseptique, détoxiquant et anti-inflammatoire tout à la fois. Il fait partie de ces trésors d'alicaments qui font des merveilles pour notre santé.

fraise, abricot et raisin

Du soleil dans ma coupe !

INGRÉDIENTS

250 ml (1 t) de fraises
2 à 3 abricots frais
20 raisins environ

GARNITURE

Fraise et menthe

PRÉPARATION

Bien rincer les fraises et les équeuter. Peler les abricots, couper et dénoyauter. Nettoyer les raisins. Passer tous les ingrédients à l'extracteur. Verser dans un verre et garnir.

Les fraises sont une excellente source de vitamine C, sont tonifiantes et reminéralisantes. Elles sont reconnues pour leurs bienfaits au niveau de la peau. Ce jus favorise le bon fonctionnement du pancréas, du foie et du système immunitaire.

framboise, pêche et poire

Velouté et onctueux !

INGRÉDIENTS

250 ml (1 t) de framboises
2 pêches
1 poire

GARNITURE

Menthe, framboise et cube de poire

PRÉPARATION

Bien rincer les framboises. Peler les pêches et dénoyauter.
Peler la poire, enlever la fleurette brune et la queue. Couper
en morceaux. Passer tous les ingrédients à l'extracteur.
Verser dans un verre et garnir.

Ce jus peut être transformé en une délicieuse boisson en mettant
tous les ingrédients au mélangeur (au lieu de l'extracteur) avec un
peu d'eau ou un jus de fruits non sucré. Battre à grande vitesse.
C'est franchement délicieux!

*Ce jus antioxydant agit comme laxatif naturel et peut nous protéger du cancer.
Nos savoureuses framboises sont une autre bonne source de vitamine C, de
magnésium, de potassium et de manganèse. Riches en fibres, elles sont reconnues pour être dépuratives, stomachiques, laxatives et diurétiques. Les feuilles de
framboises, utilisées en tisane, contribueront à calmer le syndrome prémenstruel.*

bleuet, pomme et abricot

Un goût exquis et une couleur divine !

INGRÉDIENTS

250 ml (1 t) de bleuets
1 pomme
2 abricots

GARNITURE

Fleur comestible ou bleuets

PRÉPARATION

Bien rincer les bleuets. Peler la pomme, enlever la queue et la fleurette brune et couper en morceaux. Peler les abricots, couper en deux et dénoyauter. Passer tous les ingrédients à l'extracteur. Verser dans un verre et garnir.

Les bleuets sont riches en vitamine C et en potassium. Ils renferment des fibres ainsi que des agents antibactériens et astringents. Les feuilles de bleuets ou de myrtilles font d'excellentes tisanes ou mieux encore, des décoctions de racines, qui stimuleront le pancréas. Ce jus nous offre un bon apport d'énergie, en plus d'agir comme un antioxydant et nous protéger contre les maladies dégénératives et les affections intestinales.

pêche, mangue et fraise

Purs fruits toniques et stimulants !

INGRÉDIENTS

1 à 2 pêches
1 mangue
250 ml (1 t) de fraises

GARNITURE

Quartiers de fruits ou fraises et fleurs comestibles

PRÉPARATION

Peler les pêches et la mangue. Enlever les noyaux. Couper en morceaux. Nettoyer et équeuter les fraises. Passer tous les ingrédients à l'extracteur. Verser dans un verre et garnir.

Ce jus à saveur sublime nous offre une symphonie de vitamines et de minéraux. La mangue en agrémente la texture et la saveur. Elle apporte des vitamines A et C, du potassium de même que des fibres. Il est préférable de la conserver à la température de la pièce pour qu'elle soit bien mûre à sa consommation.
La pêche, tout comme la mangue, est riche en potassium, en vitamines A et C . Elle renferme des antioxydants, est stomachique (utile pour les estomacs sensibles ou irrités), diurétique et légèrement laxative. Elle serait utile pour prévenir le cancer.

petits fruits des champs

Laissez-vous séduire !

INGRÉDIENTS

250 ml (1 t) de fraises
250 ml (1 t) de framboises
250 ml (1 t) de bleuets

GARNITURE

Petits fruits au choix

PRÉPARATION

Équeuter les fraises. Bien rincer tous les fruits et passer à l'extracteur. Verser dans un verre et garnir.

Pour en faire une boisson désaltérante, ajouter de la « limonade au gingembre, citron et miel » dont vous trouverez la recette à la page 228.

Tout le soleil et la fraîcheur de nos champs en saison estivale! Profitons-en pour nous revitaliser lorsque les petits fruits sont disponibles à profusion!

Ce jus riche en fibres et en vitamine C s'avère un excellent tonique dépuratif, reminéralisant, antibactérien et astringent.

mûre, pomme et poire

Goûtez la mûre !

INGRÉDIENTS

250 ml (1 t) de mûres
1 à 2 pommes
1 poire

GARNITURE

Quartier de poire ou mûres

PRÉPARATION

Bien rincer les mûres. Peler les pommes et la poire. Enlever les fleurettes brunes et les queues. Couper en morceaux. Passer le tout à l'extracteur. Verser dans un verre et garnir.

Comme tous les autres petits fruits des champs, la mûre est riche en vitamine C. Elle contient du magnésium et du potassium. Riche en fibres, légèrement laxative et astringente, elle a la propriété de nettoyer le système organique.

poire
et coriandre

Beau, bon, frais et naturel !

INGRÉDIENTS

3 poires
1 à 2 branches de coriandre fraîche ou 5 ml (1 c à thé) séchée

GARNITURE

Feuilles de coriandre

PRÉPARATION

Peler les poires et enlever les queues et les fleurettes brunes.
Bien rincer la coriandre. Couper et passer à l'extracteur.
Verser dans un verre et garnir.

La coriandre fraîche peut être passée à l'extracteur ou simplement
hachée finement et ajoutée au moment de consommer.

*La coriandre est fréquemment utilisée dans le soulagement de l'arthrite,
de l'acidité, de la grippe, de même que pour aider l'intestin en cas de diarrhée.
Concernant cette dernière, on peut aussi employer les graines de coriandre en
tisane. Vous n'avez qu'à laisser bouillir 30 ml (2 c. à s.) dans 500 ml (2 t) d'eau
pendant 1 à 2 minutes, fermer le feu et laisser reposer 15 minutes à couvert.*

abricot, mangue et orange

Un puissant antioxydant !

INGRÉDIENTS

2 à 3 abricots
1 mangue
1 orange

GARNITURE

Longs zestes d'orange

PRÉPARATION

Peler les abricots et la mangue, couper et dénoyauter. Peler l'orange et séparer en morceaux. Passer tous les fruits à l'extracteur. Verser dans un verre et garnir.

L'été est la période idéale pour la consommation des fruits acides tels que les fraises, les ananas et les agrumes (citron, orange, pamplemousse).

Très populaire auprès de tous, l'orange est désaltérante et possède une saveur très agréable. Reconnue pour l'abondance de sa vitamine C, elle apporte aussi du calcium, du potassium, du bêta-carotène et des fibres. Elle est diurétique, tonifiante, digestive et légèrement laxative. Elle sera notre alliée dans la prévention des infections et des grippes.

mûre, framboise et fraise

Une pause-santé à la couleur violacée !

INGRÉDIENTS

250 ml (1 t) de mûres
250 ml (1 t) de framboises
250 ml (1 t) de fraises

GARNITURE

Fraise et fleurs comestibles

PRÉPARATION

Rincer les mûres, les framboises et les fraises. Équeuter les fraises. Passer le tout à l'extracteur. Verser dans un verre et garnir.

Pour une boisson désaltérante, ajouter un peu d'eau ou du jus de pomme non sucré, des cerises noires ou un abricot (nettoyés, dénoyautés et coupés). Mettre au mélangeur et fouetter à grande vitesse pendant 1 à 2 minutes.

Ce mariage de fruits riche en fibres est une formule gagnante pour notre santé optimale. Il nous procure une bonne source de vitamines C, de magnésium, de potassium, d'acide folique et de manganèse. On l'emploiera pour nettoyer le système digestif, puisqu'on lui prête des vertus astringentes, dépuratives et laxatives.

**Pour reposer le système digestif et
favoriser la détoxication lorsqu'il fait très chaud.**

7 h 30   Durant les 15 premières minutes, boire un verre d'eau
à la température de la pièce

8 h   Un jus de petits fruits des champs (p. 156)
ou
Un jus de mûre, framboise et fraise (p. 165)

9 h   Un jus d'abricot, mangue et orange (p. 163)

10 h 30 Un jus de céleri, concombre, laitue et origan (p. 136)

12 h   Un jus d'épinard, céleri et chou-fleur à la muscade (p. 145)

14 h   Un jus de romaine, endive, zucchini et poivron (p. 141)

16 h   Un jus de framboise, pêche et poire (p. 151)

18 h   Un jus de pois mange-tout, chicorée, concombre et lime (p. 142)

20 h   Un jus de melon (p. 85)
ou
Un jus de pamplemousse et clémentine (p. 92)

Entre les jus, vous pouvez boire de l'eau et alterner avec de la « limonade au gingembre, citron et miel » (p. 228).

Il est suggéré de s'alimenter plus légèrement pendant l'été, surtout en temps de canicule. Personnellement, je réduis quelque peu ma consommation quotidienne de protéines.

LES JUS FRAIS DE L'AUTOMNE

Célébrons la récolte des trésors de la terre et profitons-en pour découvrir des alicaments trop souvent oubliés, tels le topinambour, la gourgane, les courges et la citrouille.

C'est le temps de profiter de la fraîcheur de nos légumes-racines trop souvent mésestimés, alors que leur valeur nutritive est pourtant très élevée. À la venue de la saison froide, ils sont comme un bon feu de foyer pour notre santé !

Les légumes de saison :

Les courges : Butternut, spaghetti, poivrée, Buttercup, giraumon turban, Hubbard, citrouille. Ce sont là les plus connues mais il est fascinant de partir à la découverte des courges ; il en existe au-delà de mille variétés !

Les légumes : Aubergine, betterave, carotte, navet, chou vert, chou rouge, chou-rave, céleri-rave, panais, poireau, pomme de terre et topinambour

L'automne, je fais ma réserve de courges d'hiver pour environ 6 mois. Toutes les variétés peuvent être gardées à la température de la pièce jusqu'au printemps, hormis la citrouille qui ne se conserve pas assez longtemps mais qui peut être pelée, coupée et placée au congélateur.

Les fruits de saison :

Les fruits : D'abord toutes nos variétés locales de belles pommes, la poire, la canneberge cultivées chez nous et la grenade qui est importée.

Vers la fin de la saison, clémentines, oranges, pamplemousses, ananas, kiwis et autres sont importés des pays plus chauds. Cependant, nous nous trouvons pour notre part dans un climat plus humide et plus froid à cette période de l'année. Il est suggéré de ne pas en abuser, surtout pour les personnes qui font de l'acidité ou qui ont souvent froid.

Butternut
et pomme

Fraîcheur d'automne garantie !

500 ml (2 t) de courge Butternut ou autres
1 à 2 pommes

GARNITURE

Bâton de cannelle

PRÉPARATION

Couper, enlever les graines et peler la courge. Peler les pommes, enlever les fleurettes brunes et les queues, couper. Passer le tout à l'extracteur. Verser dans un verre et garnir.

La courge Butternut appartient à la famille des courges, qui sont riches en bêta-carotène (plus elles sont orangées, plus elles contiennent de vitamine A). Elles apportent de la vitamine C, du potassium et de l'acide folique. On les reconnaît pour leur alcalinité au niveau du système digestif. Elles offrent aussi l'avantage d'être diurétiques et tonifiantes pour l'organisme. Cette combinaison de jus est très énergétique. C'est un très bon tonique d'automne.

carotte, navet et chou

Hautement nutritif !

INGRÉDIENTS

2 carottes
250 ml (1 t) de navet
250 ml (1 t) de chou
1 rondelle de racine de gingembre (facultatif)

GARNITURE

Bâtonnet de carotte et feuille de chou

PRÉPARATION

Peler les carottes et le navet. Bien nettoyer le chou. Passer tous les ingrédients à l'extracteur. Verser dans un verre et garnir.

La façon la plus connue de consommer le navet est de le cuire. Dans ce cas, il peut occasionner des flatulences. Il est préférable de laisser le navet al dente afin de diminuer ces inconvénients.

Goûtez au navet cru, râpé dans une salade ou consommé en jus, c'est un aliment précieux, riche en enzymes, à intégrer à notre menu quotidien pour ses nombreuses vertus thérapeutiques. Il contient de la vitamine C, de l'acide folique et du potassium. Il a la propriété d'être diurétique et de revitaliser l'organisme.

citrouille, pomme et céleri à la cannelle

Honneur à la citrouille !

INGRÉDIENTS

250 à 500 ml (1 à 2 t) de citrouille
1 pomme
1 branche de céleri
Une pincée de cannelle ou muscade

GARNITURE

Canneberges

PRÉPARATION

Couper, enlever les graines et peler la citrouille. Peler la pomme, enlever la fleurette brune et la queue et couper. Nettoyer et couper le céleri. Passer tous les ingrédients à l'extracteur. Verser dans un verre, saupoudrer de cannelle et garnir.

La citrouille, les courges et les potirons sont reconnus comme ayant de nombreuses propriétés dépuratives, diurétiques, émollientes, laxatives, nutritives, rafraîchissantes, sédatives et vermifuges. Leur teneur en fibres favorise la digestibilité et le transit intestinal. Les graines de citrouille sont un excellent vermifuge.

panais, carotte, zucchini et poireau

Un regain de vitalité !

INGRÉDIENTS

1 panais
1 carotte
1 petit zucchini
85 ml ($^1/_3$ t) de poireau, blanc et feuilles

GARNITURE

Panais et carotte

PRÉPARATION

Peler le panais, la carotte et le zucchini. Bien nettoyer le poireau. Couper tous les légumes. Passer à l'extracteur. Verser dans un verre et garnir.

On dit du panais qu'il est très reminéralisant, diurétique et détoxiquant. Il nous aidera aussi à prévenir l'arthrite et les rhumatismes. Il est riche en potassium, en acide folique, en calcium, en magnésium et en vitamines C et B. Ce jus, par sa combinaison de légumes, agit comme anti-inflammatoire naturel.

patate douce,
carotte
et céleri

Ah! L'abondante récolte de chez-nous...!

INGRÉDIENTS

½ patate douce
1 à 2 carottes
1 branche de céleri

GARNITURE

Branche de céleri

PRÉPARATION

Peler la patate douce et les carottes. Bien nettoyer le céleri.
Couper et passer à l'extracteur. Verser dans un verre et garnir.

La patate douce crue est un petit délice ensoleillé à découvrir et
à intégrer plus souvent à notre menu. Essayez-la à l'extracteur à jus,
coupée en dés ou râpée dans une salade… Vous l'adopterez!

*La patate douce est une bonne source de vitamine A; plus sa couleur sera
foncée, plus elle en contiendra. Riche en potassium, elle nous apporte aussi de
la vitamine C, de l'acide folique et un peu de vitamine B6. L'amidon des féculents
se développe davantage à la cuisson. Le fait de la consommer crue nous permet
donc de la combiner plus facilement à d'autres légumes et même à des protéines.
La patate douce crue, associée à d'autres légumes et à de l'avocat est idéale pour
faire de délicieux potages. C'est savoureux…et riche en enzymes!*

canneberge, chou, céleri et fenouil

*La canneberge,
une championne pour la santé !*

INGRÉDIENTS

125 ml (^{1}/$_2$ t) de canneberges fraîches
250 ml (1 t) de chou
1 à 2 branches de céleri
85 ml (^{1}/$_3$ t) de fenouil frais ou 5 ml (1 c. à thé) en graines

GARNITURE

Feuilles de fenouil

PRÉPARATION

Bien nettoyer les canneberges, le chou, le céleri et le fenouil.
Couper et passer tous les ingrédients à l'extracteur. Verser dans
un verre et garnir.

---

*Ce jus favorise notre santé en stimulant la digestion et l'élimination.
En plus d'être très minéralisant, il aide à tonifier le cœur, agit en prévention
du cancer et fait office d'antibiotique naturel.*

betterave, pomme, chou cavalier et gingembre

Un puissant revitalisant !

INGRÉDIENTS

1 petite betterave
1 à 2 pommes
250 ml (1 t) de chou cavalier ou chou frisé (kale)
1 rondelle de racine de gingembre

GARNITURE

Quartier de pomme

PRÉPARATION

Peler la betterave, les pommes et le gingembre. Enlever les fleurettes et les queues des pommes. Bien nettoyer le chou. Passer tous les ingrédients à l'extracteur. Verser dans un verre et garnir.

La betterave regorge de vitamines et minéraux. Sa formule est riche en potassium, vitamines A, C et B6, magnésium, fer, cuivre, acide folique, calcium et zinc. On la recommande en prévention de l'anémie et de la grippe. La betterave, comme la pomme, est un précieux aliment à consommer chaque jour. Ce jus est un bon fortifiant pour le système immunitaire.

pomme et canneberge

Délectable en saison !

INGRÉDIENTS

3 pommes
125 ml (1/2 t) de canneberges fraîches

GARNITURE

Canneberge sur bâton décoratif.

PRÉPARATION

Peler les pommes. Couper, enlever les queues et les fleurettes brunes. Nettoyer les canneberges. Passer le tout à l'extracteur. Verser dans un verre et garnir.

Voici un beau mariage d'automne, riche en vitamines et minéraux. Il contribue à une bonne digestion, aide l'élimination des toxines et agit en prévention du cholestérol et de la constipation. Les pommes sont très riches en fibres. De plus, elles agissent comme tonique pour l'ensemble de l'organisme.

poire, canneberge et raisin

Ah! Les délices de la poire et de la canneberge de chez-nous!

INGRÉDIENTS

2 à 3 poires
85 ml ($1/3$ t) de canneberges fraîches
20 raisins verts environ

GARNITURE

Quartier de poire

PRÉPARATION

Peler les poires, enlever les fleurettes brunes et les queues et couper. Bien nettoyer les canneberges et les raisins. Passer le tout à l'extracteur. Verser dans un verre et garnir.

Ce savoureux jus d'automne favorise la régénération de l'organisme. Il est riche en vitamine C, en fer, en magnésium, en phosphore et en potassium. La poire nous aidera à mieux dormir. C'est un fruit antiacide qui agit bien sur l'estomac et sur la digestion.

orange, canneberge et menthe

Savoureux et si frais !

INGRÉDIENTS

3 oranges
125 ml (1/2 t) de canneberges fraîches
3 à 4 feuilles de menthe

GARNITURE

Feuilles de menthe et quartier d'orange

PRÉPARATION

Peler et couper les oranges. Rincer les canneberges et la menthe.
Passer le tout à l'extracteur. Verser dans un verre et garnir.

Les oranges nous apportent une bouffée réconfortante de soleil durant nos saisons plus froides. Si leur richesse en vitamine C est bien connue, n'oublions pas qu'elles nous fournissent aussi du calcium, du potassium, des fibres et du bêta-carotène. On la dit diurétique, tonifiante, digestive et légèrement laxative. On l'utilisera pour éloigner les infections ou les grippes. À consommer modérément si vous avez tendance à faire de l'acidité.

poire
et kiwi

Un délice onctueux !

INGRÉDIENTS

3 poires
3 kiwis

GARNITURE

Morceau de kiwi

PRÉPARATION

Peler et couper les poires. Enlever les queues et les fleurettes brunes.
Peler les kiwis. Passer le tout à l'extracteur. Verser dans un verre
et garnir.

Comme tous les autres fruits frais, le kiwi contient de la vitamine C. Sa teneur est encore plus élevée que celle du citron et de l'orange. De plus, il contient de la broméline, une enzyme jouant un rôle important dans la digestion. Il apporte aussi du magnésium, du potassium et un peu de fer. Légèrement laxatif et diurétique, le kiwi doit être consommé bien mûr.

pomme
à la cannelle

Réconfortant durant la saison d'automne !

INGRÉDIENTS

3 à 4 pommes
Une pincée de cannelle

GARNITURE

Cannelle en bâton et en poudre

PRÉPARATION

Peler les pommes, retirer les fleurettes brunes et les queues et couper. Passer à l'extracteur. Verser dans un verre, saupoudrer de cannelle et garnir.

La saveur de la cannelle en bâton est plus prononcée que celle de la cannelle en poudre. Nous pouvons ajouter de la cannelle dans toutes nos boissons chaudes (tisane, café, etc.). Elle aide à la digestion et agit contre la diarrhée. La cannelle rafraîchit aussi l'haleine.

MENU D'UN JOUR
PLEINE NATURE – AUTOMNE

Pour la détoxication et la reminéralisation d'automne

7 h 30	Durant les 15 premières minutes, boire un verre d'eau à la température de la pièce ou légèrement plus chaud
8 h	Un jus de pomme et canneberge (p. 183)
9 h	Un jus de poire, canneberge et raisin (p. 185) ou Un jus de légumes d'automne au choix (p. 167)
10 h 30	Un jus de patate douce, carotte et céleri (p. 176)
12 h	Un jus de panais, carotte, zucchini et poireau (p. 174)
14 h	Un jus de Butternut et pomme (p. 169)
16 h	Un jus de betterave, pomme, chou cavalier et gingembre (p. 180)
18 h	Un jus de citrouille, pomme et céleri à la cannelle (p. 173)
20 h	Un jus de poire et kiwi (p. 189)

Entre les jus, nous pouvons boire de l'eau en alternance avec des tisanes.

LES JUS FRAIS DE L'HIVER

Il est recommandé de consommer davantage de légumes-racines que de laitues pendant l'hiver. Certes, il ne s'agit pas de les éliminer, mais de les consommer avec modération, contrairement à l'été où nous leur accordons une place privilégiée. Les salades de chou, carotte, betterave, céleri-rave, bok choy, bette à carde, chinoise, chou frisé (kale), de même que toutes les pousses vertes et les germinations de grains de céréales et de légumineuses forment toujours une bonne base pour reconstituer notre force vitale.

Les légumes de saison :

Les légumes : Bette à carde rouge ou verte, betterave, bok choy, céleri-rave, carotte, chou, chou de Bruxelles, courges (spaghetti, Butternut, Buttercup), germinations, laitue chinoise, navet, patate douce, pousses vertes et radis noir

Les légumes-racines font d'excellents jus et des salades appropriées par temps froid.

Les fruits de saison :

Les fruits frais : Banane, mangue, pomme, raisin (rouge, vert et noir)

Les fruits séchés : Abricot, canneberge, datte, figue, pomme, pruneau, raisin

Les agrumes doivent être consommés en quantité modérée puisqu'ils sont un peu trop acides en saison hivernale.

Il est préférable de faire tremper les fruits séchés au moins 4 heures avant de les consommer afin d'améliorer leur digestibilité et leur assimilation.

Pour plus de variété durant l'hiver, nous utiliserons, pour les jus, les petits fruits des champs que nous avons congelés. Les petits fruits déshydratés pourront être pris en collation dans les salades de fruits ou les céréales du matin.

patate douce, pousses vertes et céleri

Le coéquipier par excellence de notre santé !

INGRÉDIENTS

$1/2$ patate douce
250 ml (1 t) de pousses vertes (sarrasin, pois verts ou tournesol)
1 à 2 branches de céleri

GARNITURE

Pousses vertes de sarrasin ou autres

PRÉPARATION

Peler la patate douce, rincer les pousses vertes et le céleri.
Couper et passer le tout à l'extracteur. Verser dans un verre et garnir.

L'hiver, les germinations et les pousses vertes constituent des aliments d'une très grande fraîcheur. Ils ont l'avantage d'être riches en enzymes et sont rapidement assimilables. Leur très grande concentration de vitamines et minéraux en font des alicaments de toute première qualité. La patate douce est riche en vitamine A et en potassium. Elle contient de la vitamine C, du cuivre et de l'acide folique.

chou de Bruxelles, laitue, zucchini et germinations

Un choix judicieux pour notre mieux-être !

INGRÉDIENTS

2 à 3 choux de Bruxelles
2 à 3 feuilles de verdure (laitue chinoise ou romaine, chou vert frisé ou bette à carde)
1 petit zucchini
250 ml (1 t) de germinations (lentilles, haricots mungo ou pois verts)
1 branche de céleri (facultatif)

GARNITURE

Lamelle de zucchini et germinations

PRÉPARATION

Bien nettoyer les choux de Bruxelles et les feuilles de verdure. Peler le zucchini. Couper en morceaux. Rincer les germinations. Passer tous les ingrédients à l'extracteur. Verser dans un verre et garnir.

Ce trésor de « salade » en jus constitue toute une richesse de vitamines et minéraux ! Il saura nous réconforter pour l'hiver, en plus d'agir en prévention du cancer.

radis noir, carotte et Butternut

Un super Tonique pour le foie !

INGRÉDIENTS

1 petite tranche de radis noir
2 carottes
250 ml (1 t) de courge Butternut

GARNITURE

Tranches de citron et lime

PRÉPARATION

Peler et couper le radis noir et les carottes. Couper, enlever les graines et peler la courge. Passer tous les ingrédients à l'extracteur. Verser dans un verre et garnir.

Ce jus, qui regorge de bêta-carotène et d'acide folique, nous assurera une plus grande vitalité. Le radis noir est un super radis d'hiver. On le conseille pour traiter le foie et pour mieux respirer. Il agit contre la toux et les affections reliées aux poumons. On pourra l'utiliser dans les cas d'eczéma ou d'autres problèmes de peau, d'arthrite et de rhumatisme. Son goût étant très relevé, il suffit de le prendre en petite quantité, par exemple râpé dans nos salades.

navet,
patate douce
et carotte

Hautement réconfortant!

INGRÉDIENTS

85 ml ($^1/_3$ t) de navet
1 petite patate douce
2 carottes

GARNITURE

Bouquet de persil

PRÉPARATION

Peler les légumes et les couper en morceaux. Passer à l'extracteur.
Verser dans un verre et garnir.

Le navet cru a un goût un peu amer. Dans ce jus, la patate douce
et les carottes vont lui enlever un peu d'amertume. Tous les légumes
amers demandent à être apprivoisés, surtout dans les jus. Il suffit
parfois d'ajouter un peu d'eau, des herbes fraîches ou la moitié
d'une pomme.

*Le navet est une bonne source de potassium, de vitamine C et d'acide folique.
Il est très revitalisant. Essayez-le râpé dans les salades!*

bette à carde, céleri-rave, panais et céleri

Une belle ondée hivernale !

INGRÉDIENTS

2 à 3 feuilles de bette à carde
250 ml (1 t) de céleri-rave
1 panais
1 branche de céleri ou concombre ou zucchini
Herbes fraîches au goût (facultatif)

GARNITURE

Feuilles de basilic

PRÉPARATION

Bien nettoyer les feuilles de bette à carde et le céleri. Peler le céleri-rave et le panais. Couper tous les légumes. Passer à l'extracteur. Verser dans un verre et garnir.

Toutes les verdures d'un vert foncé, surtout celles de la famille des choux, seront d'un grand secours pendant la saison d'hiver. Nous avons accès à une grande variété qui, avec nos pousses vertes, nous procurerons de bons jus frais tout au long de l'année. Ces jus détoxiquants et minéralisants nous protégerons contre certains désordres de santé. Disponible à l'année, la bette à carde présente une grande richesse en vitamines C et A. Elle contient du potassium, du magnésium, du phosphore, du fer, de l'acide folique et du calcium. On la dit laxative, diurétique, reminéralisante et efficace pour éliminer les toxines. Hachez-la finement et ajoutez-en un peu dans vos salades : c'est excellent !

pousses vertes, germinations, concombre et fenouil

Toute la quintessence de la vie dans votre verre !

INGRÉDIENTS

250 ml (1 t) de pousses vertes
250 ml (1 t) de germinations (pois verts, lentilles ou haricots mungo)
$^1/_2$ concombre anglais
85 ml ($^1/_3$ t) de fenouil frais ou 5 ml (1 c. à thé) en graines

GARNITURE

Tranches de concombre

PRÉPARATION

Rincer les pousses vertes et les germinations. Peler le concombre.
Nettoyer le fenouil. Passer tous les ingrédients à l'extracteur.
Verser dans un verre et garnir.

L'alimentation vivante fait entrer la nature dans notre maison
en créant un jardin dans notre cuisine! C'est un loisir agréable,
utile et…santé!

Ce jus frais, léger et désaltérant est un excellent tonique santé. Les enzymes des aliments vivants facilitent l'assimilation des protéines.

mangue, orange et raisin noir

Pour affronter le froid de l'hiver !

INGRÉDIENTS

1 mangue
1 orange
20 raisins noirs environ

GARNITURE

Raisins noirs et long zeste d'orange

PRÉPARATION

Peler et couper la mangue et l'orange. Dénoyauter la mangue. Nettoyer les raisins. Passer le tout à l'extracteur. Verser dans un verre et garnir.

Cette combinaison de fruits séduira vos papilles à coup sûr!

La pelure très mince du raisin noir le rend très agréable à croquer. Le raisin noir possède des vertus thérapeutiques particulières très appréciées lors de cures visant à purifier notre système organique. Cependant, tous les raisins sont cholagogues, diurétiques et énergétiques. Ils contiennent de la vitamine C et du potassium.

pomme, clémentine et bleuet

Pour rassasier les plus gourmands !

INGRÉDIENTS

1 à 2 pommes
3 clémentines
250 ml (1 t) de bleuets, frais ou congelés

GARNITURE

Quartier de clémentine

PRÉPARATION

Peler et couper les pommes et les clémentines. Retirer les queues et les fleurettes brunes des pommes. Rincer les bleuets. Passer le tout à l'extracteur. Verser dans un verre et garnir.

Ce jus rafraîchissant et exquis ne demande qu'à satisfaire votre gourmandise! D'un goût sublime et réconfortant!

Les clémentines font partie de la famille des mandarines, oranges, tangerines, tangelos, etc. C'est une excellente source de vitamines A et C. Elles contiennent aussi du potassium et de l'acide folique.

ananas
et mangue

Un petit goût ensoleillé !

INGRÉDIENTS

¹/₂ ananas bien mûr
1 mangue

GARNITURE

Cubes d'ananas sur bâton décoratif

PRÉPARATION

Peler et couper l'ananas et la mangue. Retirer le noyau de la mangue. Passer à l'extracteur. Verser dans un verre et garnir.

Ce jus fera le bonheur de tous!

Ce jus est riche en broméline, une enzyme qui digère les protéines. L'ananas contient de la vitamine C, du manganèse, de magnésium, du potassium et de l'acide folique. Il est connu pour ses propriétés diurétiques et détoxiquantes.

poire, pomme et framboise

Un petit bijou de jus !

INGRÉDIENTS

2 poires
1 pomme
250 ml (1 t) de framboises, fraîches ou congelées

GARNITURE

Quartiers de poire et de pomme

PRÉPARATION

Peler et couper les poires et la pomme. Retirer les queues et les fleurettes brunes. Rincer les framboises. Passer à l'extracteur. Verser dans un verre et garnir.

Ce délice de jus est un de mes favoris !

Les poires et les pommes ont des propriétés similaires. Riches en fibres, diurétiques et légèrement laxatives, elles seront utiles à la régénération de l'organisme. Les framboises, ces délectables petits fruits, procurent une bonne source de vitamine C, de magnésium, de potassium et de manganèse.
Riche en fibres, la framboise est reconnue comme étant dépurative, stomachique, laxative et diurétique. Les feuilles de framboisier sont utiles en tisane pour apaiser les symptômes liés au syndrome prémenstruel.

ananas

Qui pourra y résister !

INGRÉDIENTS

½ ananas bien mûr

GARNITURE

Cubes et feuille d'ananas

PRÉPARATION

Couper et peler l'ananas. Passer à l'extracteur à jus.
Verser dans un verre et garnir.

De nombreuses personnes raffolent de l'ananas ; c'est un fruit exquis qui se suffit à lui-même ! Ne nous privons surtout pas car il contient beaucoup d'enzymes, dont la broméline qui agit sur la digestion des protéines. Il procure également de la vitamine C, du manganèse, du magnésium, du potassium et de l'acide folique. On gagne à consommer l'ananas, un véritable supplément d'enzymes directement du fruit frais. Bien que l'on puisse le combiner à d'autres fruits, on profitera davantage de la broméline s'il est mangé seul. L'ananas doit être consommé mûr pour un maximum de goût et un minimum d'acidité. Je le laisse mûrir à la température de la pièce ; il est prêt lorsqu'il devient odorant, un peu moins ferme au toucher et qu'il est légèrement jauni.

orange

Du soleil plein votre verre !

INGRÉDIENTS

3 à 4 oranges

GARNITURE

Rondelle d'orange et feuilles de menthe

PRÉPARATION

Peler et couper les oranges. Passer à l'extracteur.
Verser dans un verre et garnir.

Faire son jus d'orange, ce grand favori d'entre tous, est un jeu d'enfant!

L'orange est bien connue pour sa richesse en vitamine C, en calcium, en potassium, en bêta-carotène et en fibres. On la dit diurétique, tonifiante, digestive et légèrement laxative. Elle éloigne les infections et la grippe.

raisin
et kiwi

Simple et savoureux !

INGRÉDIENTS
20 à 25 raisins environ
2 à 3 kiwis

GARNITURE
Morceau de kiwi

PRÉPARATION
Bien nettoyer les raisins. Peler les kiwis. Passer à l'extracteur à jus.
Verser dans un verre et garnir.

Les raisins et les kiwis forment une parfaite harmonie
pour les papilles !

*Ce jus est énergisant, antioxydant, cholagogue, laxatif, détoxiquant et minéralisant.
Il est aussi très riche en enzymes.*

**Pour favoriser le repos du système digestif,
la détoxication et la reminéralisation**

7 h 30   Durant les 15 premières minutes, boire un verre d'eau chaude

8 h   Un jus d'ananas (p. 214)

9 h   Un jus de poire, pomme et framboise (p. 212)

10 h 30   Un jus de bette à carde, céleri-rave, panais et céleri (p. 202)

12 h   Un jus de navet, patate douce et carotte (p. 201)

14 h   Un jus de pousses vertes, germinations, concombre et fenouil
          (p. 205)

16 h   Un jus de raisin et kiwi (p. 219)

18 h   Un jus de radis noir, carotte et Butternut (p. 199)

20 h   Un jus de mangue, orange et raisin noir (p. 206)

Entre les jus, nous pouvons boire de l'eau en alternance avec des tisanes.

L'hiver, les tisanes sont très réconfortantes!

Partie 3

D'autres breuvages pour votre plaisir et votre bien-être

Tisane au gingembre

Le gingembre possède de nombreuses vertus curatives !

INGRÉDIENTS

5 à 6 rondelles de racine de gingembre ou 65 ml (1/4 t) haché
500 ml (2 t) d'eau

PRÉPARATION

Mettre le gingembre dans une petite casserole avec l'eau.
Laisser mijoter à feu doux environ 5 à 10 minutes. Éteindre le feu.
Couvrir et laisser reposer 20 minutes. Retirer le gingembre et déguster
tel quel ou avec un peu de miel.

En cas de grippe ou de rhume, vous pouvez ajouter un peu de poivre
de Cayenne et du jus de citron frais.

*Le gingembre fait partie des alicaments. Il possède de nombreuses vertus
curatives. Il aiguise l'appétit, facilite la digestion, soulage les spasmes et les
coliques en favorisant la détente de l'intestin. Il est efficace contre les infections
gastro-intestinales. Il soulage les maux de tête, les migraines ainsi que les
menstruations douloureuses. Il aide à garder la forme sexuelle et à stimuler
la libido. C'est aussi un bon décongestionnant pour les sinus.*

Tisane à la sauge

Une plante qui fait des merveilles

INGRÉDIENTS

5 ml (1 c. à thé) de feuilles de sauge
250 ml (1 t) d'eau bouillante

PRÉPARATION

Mettre les feuilles de sauge dans l'eau bouillante.
Laisser infuser environ 10 minutes. Filtrer avant de boire.

Pour un goût moins prononcé et vous familiariser avec cette tisane, laisser infuser seulement 3 minutes.

La sauge est un véritable alicament puisqu'elle réunit les propriétés de plusieurs plantes. Elle serait diurétique, antispasmodique, antiseptique et dépurative. Reconnue pour son action tonifiante, elle aide à réduire les bouffées de chaleur de la ménopause. Elle est aussi utile pour soigner les ulcères de la bouche. Elle contient du calcium, du potassium, du magnésium, de la vitamine A et une trace de fer. Elle est disponible sous forme de teinture-mère ou d'huile essentielle. Renseignez-vous sur son utilisation auprès de votre professionnel de la santé.

Tisane
au thym

Aide à combattre la grippe !

INGRÉDIENTS

5 ml (1 c. à thé) de thym
250 ml (1 t) d'eau bouillante

PRÉPARATION

Mettre le thym dans une boule à tisane ou dans une tasse.
Verser l'eau bouillante. Laisser infuser 5 à 10 minutes.
Filtrer si nécessaire avant de boire.

Pour rendre le goût plus agréable, on peut ajouter un peu de miel.
Tout comme la tisane à la sauge, vous pouvez commencer
par laisser infuser environ 3 minutes.

*Le thym aide le système immunitaire à combattre la grippe, le rhume et la toux.
Il est également utile pour prévenir ou soulager les tensions, la dépression
et le surmenage. Il posséderait aussi des vertus diurétiques et vermifuges.
Frais, il contient du calcium, de la vitamine A, du magnésium, du potassium
et un peu de fer. Vous pouvez aussi le consommer dans les jus ou en tisane.*

Limonade
à la menthe

Naturellement rafraîchissante !

INGRÉDIENTS

85 ml (1/3 t) de menthe fraîche
750 ml (3 t) d'eau bouillante
15 ml (1 c. à s.) de miel
Le jus d'un citron ou d'une lime
1 orange

PRÉPARATION

Verser l'eau bouillante sur les feuilles de menthe. Laisser infuser environ 10 minutes. Filtrer et verser dans un pichet. Ajouter du miel, le jus de citron et les rondelles d'une orange pelée. Laisser macérer un minimum de 2 heures à la température de la pièce. Servir sur des glaçons si désiré.

Je préfère la menthe poivrée, plus goûteuse à cause du menthol qu'elle contient et qui a un effet tonique sur le foie. Elle favorise la digestion, est antispasmodique et antiseptique. La menthe est bien connue pour rafraîchir l'haleine.

Limonade au gingembre, citron et miel

Désaltérante !
Ma limonade préférée à l'année...

INGRÉDIENTS

65 ml (¼ t) de racine de gingembre râpé
750 ml (3 t) d'eau bouillante
Le jus d'un citron
Miel au goût

PRÉPARATION

Ébouillanter le gingembre râpé. Couvrir. Laisser reposer 15 minutes. Ajouter le jus de citron et le miel. Filtrer et servir de préférence à la température de la pièce ou sur des glaçons.

Pour varier vous pouvez ajouter un bâton de cannelle ou des feuilles de menthe fraîche.

En été, cette limonade sera très appréciée des amateurs de vélo et de randonnée. Vous l'apprécierez aussi à la maison par température très chaude. Durant la saison hivernale, j'aime bien boire cette limonade chaude. Une super boisson santé !

Excellent tonique pour aider la digestion, cette limonade soulage les spasmes et les coliques en favorisant la détente de l'intestin. Elle aide à prévenir ou traiter les rhumes, les grippes et les infections gastro-intestinales. Elle soulage les maux de tête et les migraines ainsi que les menstruations douloureuses. Elle aide à prévenir l'impuissance sexuelle et stimule la libido.

INDEX DES RECETTES

A

Abricot
Jus d'ananas et abricot 78
Jus de fraise, abricot et raisin 149
Jus de bleuet, pomme
    et abricot 153
Jus d'abricot, mangue
    et orange 163

Ananas
Jus d'ananas, raisin vert
    et canneberge 44
Jus d'ananas et abricot 78
Jus d'ananas et mangue 210
Jus d'ananas 214

B

Basilic
Jus de concombre, céleri
    et basilic 126
Jus de concombre, radis
    et basilic 138

Bette à carde
Jus d'épinard, persil, céleri
    et bette à carde 36
Jus de bette à carde, céleri-rave,
    panais et céleri 202

Betterave
Jus de céleri, concombre,
    betterave et luzerne 51
Jus de concombre, carotte,
    betterave et lime 60
Jus de betterave, pomme,
    chou cavalier et gingembre 180

Bleuet
Jus de bleuet, pomme
    et abricot 153
Jus de petits fruits des champs 156
Jus de pomme, clémentine
    et bleuet 209

Bok choy
Jus de brocoli, bok choy
    et pomme verte 99
Jus de lentilles germées, luzerne,
    céleri et bok choy 105

Brocoli
Jus de brocoli, zucchini, poireau
    et gingembre 40
Jus de romaine, brocoli et
    carotte au curcuma 42
Jus de brocoli, bok choy
    et pomme verte 99
Jus d'épinard, oignon vert, brocoli
    et concombre 102
Jus de poireau, zucchini, brocoli
    et poivron 146

Butternut
Jus de poireau, navet, Butternut,
    poivron et gingembre 69
Jus de Butternut et pomme 169
Jus de radis noir, carotte
    et Butternut 199

C

Canneberge
Jus d'ananas, raisin vert
    et canneberge 44
Jus de pomme verte, céleri,
    gingembre et canneberge 46
Jus de chou, carotte, céleri
    et canneberge 63

Jus de canneberge, framboise
et pomme 80

Jus de canneberge, chou, céleri
et fenouil 178

Jus de pomme et canneberge 183

Jus de poire, canneberge
et raisin 185

Jus d'orange, canneberge
et menthe 186

Cannelle

Jus de citrouille, pomme et céleri
à la cannelle 173

Jus de pomme à la cannelle 190

Carotte

Jus de romaine, brocoli
et carotte au curcuma 42

Jus de carotte, chou de Bruxelles,
épinard et concombre 49

Jus de carotte, chou et pomme 58

Jus de concombre, carotte,
betterave et lime 60

Jus de chou, carotte, céleri
et canneberge 63

Jus de carotte, panais et pomme 66

Jus de chou, carotte
et pois mange-tout 73

Jus de carotte, navet et chou 170

Jus de panais, carotte, zucchini
et poireau 174

Jus de patate douce, carotte
et céleri 176

Jus de radis noir, carotte
et Butternut 199

Jus de navet, patate douce
et carotte 201

Céleri

Jus d'épinard, persil, céleri
et bette à carde 36

Jus de céleri, concombre, radis
et citron 39

Jus de pomme verte, céleri,
gingembre et canneberge 46

Jus de céleri, concombre,
betterave et luzerne 51

Jus de tomate, céleri, chicorée
et fenouil 52

Jus de chou, céleri, radis
et poivron rouge 55

Jus de chou, carotte, céleri
et canneberge 63

Jus de poivron rouge, tomate,
romaine et céleri 65

Jus de persil, céleri, laitue
et romarin au curcuma 101

Jus de lentilles germées, luzerne,
céleri et bok choy 105

Jus de chou-fleur, épinard, céleri
et fenouil 106

Jus de chou de Bruxelles, céleri,
romaine et thym 108

Jus de pomme, céleri et persil 110

Jus de concombre, céleri
et basilic 126

Jus de céleri, concombre, laitue
et origan 136

Jus d'épinard, céleri et chou-fleur
à la muscade 145

Jus de citrouille, pomme et céleri
à la cannelle 173

Jus de patate douce, carotte
et céleri 176

Jus de canneberge, chou, céleri
et fenouil 178

Jus de patate douce,
pousses vertes et céleri 194

Jus de bette à carde, céleri-rave,
panais et céleri 202

Céleri-rave

Jus de bette à carde, céleri-rave,
panais et céleri 202

Chicorée

Jus de tomate, céleri, chicorée
et fenouil 52

Jus de pois mange-tout, chicorée,
concombre et lime 142

Chou

Jus de chou, céleri, radis
et poivron rouge 55

Jus de carotte, chou et pomme 58

Jus de chou, carotte, céleri
et canneberge 63

Jus de chou, carotte et
pois mange-tout 73

Jus de carotte, navet et chou 170

Jus de canneberge, chou, céleri
et fenouil 178

Chou cavalier

Jus de betterave, pomme,
chou cavalier et gingembre 180

Chou de Bruxelles

Jus de carotte, chou de Bruxelles,
épinard et concombre 49

Jus de chou de Bruxelles, céleri,
romaine et thym 108

Jus de chou de Bruxelles, laitue,
zucchini et germinations 196

Chou vert

Jus de chou vert, persil
et zucchini 128

Chou-fleur

Jus de chou-fleur, épinard, céleri
et fenouil 106

Jus d'épinard, céleri et chou-fleur
à la muscade 145

Citron

Jus de céleri, concombre, radis
et citron 39

Limonade au gingembre, citron
et miel 226

Citrouille

Jus de citrouille, pomme et céleri
à la cannelle 173

Clémentine

Jus de pamplemousse
et clémentine 92

Jus de pomme, clémentine
et bleuet 209

Concombre

Jus de céleri, concombre,
radis et citron 39

Jus de carotte, chou de Bruxelles,
épinard et concombre 49

Jus de céleri, concombre,
betterave et luzerne 51

Jus de concombre, carotte,
betterave et lime 60

Jus d'épinard, oignon vert, brocoli
et concombre 102

Jus de concombre, céleri
et basilic 126

Jus de céleri, concombre, laitue
et origan 136

Jus de concombre, radis
et basilic 138

Jus de pois mange-tout, chicorée,
concombre et lime 142

Jus de pousses vertes,
germinations, concombre
et fenouil 205

Coriandre

Jus de poire, pomme
et coriandre 87

Jus de poire et coriandre 160

Curcuma

Jus de romaine, brocoli et carotte
au curcuma 42

Jus de persil, céleri, laitue
et romarin au curcuma 101

E

Endive

Jus de romaine, endive, zucchini
  et poivron 141

Épinard

Jus d'épinard, persil, céleri
  et bette à carde 36

Jus de carotte, chou de Bruxelles,
  épinard et concombre 49

Jus d'épinard, oignon vert, brocoli
  et concombre 102

Jus de chou-fleur, épinard, céleri
  et fenouil 106

Jus de laitue, épinard
  et pomme verte 131

Jus d'épinard, céleri et chou-fleur
  à la muscade 145

F

Fenouil

Jus de tomate, céleri, chicorée
  et fenouil 52

Jus de romaine, persil,
  patate douce et fenouil 71

Jus de chou-fleur, épinard, céleri
  et fenouil 106

Jus de pomme, pamplemousse,
  mangue et fenouil 113

Jus de canneberge, chou, céleri
  et fenouil 178

Jus de pousses vertes,
  germinations, concombre
  et fenouil 205

Fraise

Jus de fraise, abricot et raisin 149

Jus de pêche, mangue et fraise 154

Jus de petits fruits des champs 156

Jus de mûre, framboise
  et fraise 165

Framboise

Jus de canneberge, framboise
  et pomme 80

Jus de kiwi, orange et framboise 91

Jus de raisin, framboise
  et mûre 115

Jus de framboise, pêche
  et poire 151

Jus de petits fruits des champs 156

Jus de mûre, framboise
  et fraise 165

Jus de poire, pomme
  et framboise 212

G

Germinations

Jus de chou de Bruxelles, laitue,
  zucchini et germinations 196

Jus de pousses vertes,
  germinations, concombre
  et fenouil 205

Gingembre

Jus de brocoli, zucchini, poireau
  et gingembre 40

Jus de pomme verte, céleri,
  gingembre et canneberge 46

Jus de poireau, navet, Butternut,
  poivron et gingembre 69

Jus de raisin, orange
  et gingembre 82

Jus de betterave, pomme,
  chou cavalier et gingembre 180

Tisane au gingembre 222

Limonade au gingembre, citron
  et miel 226

H

Herbe de blé

Jus d'herbe de blé 35

K

Kiwi

Jus de kiwi, orange et framboise 91
Jus de poire et kiwi 189
Jus de raisin et kiwi 219

L

Laitue

Jus de persil, céleri, laitue
et romarin au curcuma 101
Jus de laitue, épinard
et pomme verte 131
Jus de céleri, concombre, laitue
et origan 136
Jus de chou de Bruxelles, laitue,
zucchini et germinations 196

Lentilles germées

Jus de lentilles germées, luzerne,
céleri et bok choy 105
Jus de lentilles germées 124

Lime

Jus de concombre, carotte,
betterave et lime 60
Jus de pois mange-tout, chicorée,
concombre et lime 142

Luzerne

Jus de céleri, concombre,
betterave et luzerne 51
Jus de lentilles germées, luzerne,
céleri et bok choy 105

M

Mangue

Jus de mangue, pomme et raisin 77
Jus de mangue, pêche
et pomme jaune 95

Jus de pomme, pamplemousse,
mangue et fenouil 113
Jus de pêche, mangue et fraise 154
Jus d'abricot, mangue
et orange 163
Jus de mangue, orange
et raisin noir 206
Jus d'ananas et mangue 210

Melon

Jus de melon 85

Melon miel

Jus de melon miel et raisin vert 133

Menthe

Jus d'orange, canneberge
et menthe 186
Limonade à la menthe 225

Miel

Limonade au gingembre, citron
et miel 226

Mûre

Jus de raisin, framboise
et mûre 115
Jus de mûre, pomme et poire 159
Jus de mûre, framboise
et fraise 165

Muscade

Jus d'épinard, céleri et chou-fleur
à la muscade 145

N

Navet

Jus de poireau, navet, Butternut,
poivron et gingembre 69
Jus de carotte, navet et chou 170
Jus de navet, patate douce
et carotte 201

O

Oignon vert

Jus d'épinard, oignon vert, brocoli
et concombre 102

Orange

Jus de raisin, orange
et gingembre 82

Jus de kiwi, orange et framboise 91

Jus d'abricot, mangue
et orange 163

Jus d'orange, canneberge
et menthe 186

Jus de mangue, orange
et raisin noir 206

Jus d'orange 217

Origan

Jus de céleri, concombre, laitue
et origan 136

P

Pamplemousse

Jus de pamplemousse
et clémentine 92

Jus de pomme, pamplemousse,
mangue et fenouil 113

Jus de poire, pomme
et pamplemousse 116

Panais

Jus de carotte, panais et pomme 66

Jus de panais, carotte, zucchini
et poireau 174

Jus de bette à carde, céleri-rave,
panais et céleri 202

Papaye

Jus de papaye, raisin et poire 88

Patate douce

Jus de romaine, persil, patate
douce et fenouil 71

Jus de patate douce, carotte
et céleri 176

Jus de patate douce,
pousses vertes et céleri 194

Jus de navet, patate douce
et carotte 201

Pêche

Jus de mangue, pêche
et pomme jaune 95

Jus de framboise, pêche
et poire 151

Jus de pêche, mangue et fraise 153

Persil

Jus d'épinard, persil, céleri
et bette à carde 36

Jus de romaine, persil,
patate douce et fenouil 71

Jus de persil, céleri, laitue
et romarin au curcuma 101

Jus de pomme, céleri et persil 110

Jus de chou vert, persil
et zucchini 128

Poire

Jus de poire, pomme
et coriandre 87

Jus de papaye, raisin et poire 88

Jus de poire, pomme
et pamplemousse 116

Jus de framboise, pêche
et poire 151

Jus de mûre, pomme et poire 159

Jus de poire et coriandre 160

Jus de poire, canneberge
et raisin 185

Jus de poire et kiwi 189

Jus de poire, pomme
et framboise 212

Poireau

Jus de brocoli, zucchini, poireau
et gingembre 40

Jus de poireau, navet, Butternut,
poivron et gingembre 69

Jus de poireau, zucchini, brocoli
et poivron 146

Jus de panais, carotte, zucchini
et poireau 174

Pois mange-tout

Jus de chou, carotte
et pois mange-tout 73

Jus de pois mange-tout, chicorée,
concombre et lime 142

Poivron

Jus de poireau, navet, Butternut,
poivron et gingembre 69

Jus de romaine, endive, zucchini
et poivron 141

Jus de poireau, zucchini, brocoli
et poivron 146

Poivron rouge

Jus de chou, céleri, radis
et poivron rouge 55

Jus de poivron rouge, tomate,
romaine et céleri 65

Pomme

Jus de carotte, chou et pomme 58

Jus de carotte, panais et pomme 66

Jus de mangue, pomme et raisin 77

Jus de canneberge, framboise
et pomme 80

Jus de poire, pomme
et coriandre 87

Jus de pomme, céleri et persil 110

Jus de pomme, pamplemousse,
mangue et fenouil 113

Jus de poire, pomme
et pamplemousse 116

Jus de bleuet, pomme
et abricot 153

Jus de mûre, pomme et poire 159

Jus de Butternut et pomme 169

Jus de citrouille, pomme
et céleri à la cannelle 173

Jus de betterave, pomme,
chou cavalier et gingembre 180

Jus de pomme et canneberge 183

Jus de pomme à la cannelle 190

Jus de pomme, clémentine
et bleuet 209

Jus de poire, pomme
et framboise 212

Pomme jaune

Jus de mangue, pêche
et pomme jaune 95

Pomme verte

Jus de pomme verte, céleri,
gingembre et canneberge 46

Jus de brocoli, bok choy
et pomme verte 99

Jus de laitue, épinard
et pomme verte 131

Pousses vertes

Jus de pousses vertes 123

Jus de patate douce, pousses vertes
et céleri 194

Jus de pousses vertes,
germinations, concombre
et fenouil 205

R

Radis

Jus de céleri, concombre, radis
et citron 39

Jus de chou, céleri, radis
et poivron rouge 55

Jus de concombre, radis
et basilic 138

Radis noir

Jus de radis noir, carotte
et Butternut 199

Raisin

Jus de mangue, pomme et raisin 77

Jus de raisin, orange
et gingembre 82

Jus de papaye, raisin et poire 88

Jus de raisin, framboise
et mûre 115

Jus de fraise, abricot et raisin 149

Jus de poire, canneberge
et raisin 185

Jus de raisin et kiwi 219

Raisin noir

Jus de mangue, orange
et raisin noir 206

Raisin vert

Jus d'ananas, raisin vert
et canneberge 44

Jus de melon miel et raisin vert 133

Romaine

Jus de romaine, brocoli
et carotte au curcuma 42

Jus de poivron rouge, tomate,
romaine et céleri 65

Jus de romaine, persil,
patate douce et fenouil 71

Jus de chou de Bruxelles, céleri,
romaine et thym 108

Jus de romaine, endive, zucchini
et poivron 141

Romarin

Jus de persil, céleri, laitue
et romarin au curcuma 101

S

Sauge

Tisane à la sauge 223

T

Thym

Jus de chou de Bruxelles, céleri,
romaine et thym 108

Tisane au thym 224

Tomate

Jus de tomate, céleri, chicorée
et fenouil 52

Jus de poivron rouge, tomate,
romaine et céleri 65

Z

Zucchini

Jus de brocoli, zucchini, poireau
et gingembre 40

Jus de chou vert, persil
et zucchini 128

Jus de romaine, endive, zucchini
et poivron 141

Jus de poireau, zucchini, brocoli
et poivron 146

Jus de panais, carotte, zucchini
et poireau 174

Jus de chou de Bruxelles, laitue,
zucchini et germinations 196

DE LA MÊME AUTEURE
AUX ÉDITIONS ADA INC.

Cuisine végétarienne :

Je mange avec la nature

Je mange les desserts de la nature

La boîte à lunch santé

Le soja, le tofu et le seitan

Les barbecues santé

Les meilleures salades de Colombe Plante

Maigrir facilement en mangeant santé

Muffins et brioches santé

Combinaisons alimentaires :

Le napperon des combinaisons alimentaires

Les combinaisons alimentaires, Tome 1 et 2

Alimentation vivante :

L'alimentation vivante, une révolution pour votre santé

Guérison naturelle :

Je m'aime en santé

LES COORDONNÉES DE L'AUTEURE

Colombe Plante, N.D.

Approche HYGIONOMISTE®

Collège des naturopathes du Québec

Membre practicien de la Société EducoSanté

Informez-vous au sujet des cours de cuisine végétarienne, ateliers et conférences de Colombe Plante

colombeplante@videotron.ca

450.658.0980

Pour obtenir une copie
de notre catalogue,
communiquez avec :
AdA
1385, boul. Lionel-Boulet
Varennes, Québec
J3X 1P7
Téléc : (450) 929-0220
info@ada-inc.com
www.ada-inc.com

Pour l'Europe, voici les coordonnées :
France : D.G. Diffusion   Tél. : 05.61.00.09.99
Belgique : D.G. Diffusion   Tél. : 05.61.00.09.99
Suisse : Transat   Tél. : 23.42.77.40